La cuisine cubaine de Miami

La cuisine cubaine de Miami

★★★

SUE MULLIN

KÖNEMANN

Creative Director : Richard Dewing
Project Editor : Kate Preston
Editor : Beverly LeBlanc
Photographer : Trevor Wood
Home Economist : Judith Kelsey

Titre original : La cuisine cubaine de Miami

© 1997 pour l'édition française
Könemann Verlagsgesellschaft mbH
Bonner Str. 126, D-50968 Köln

Traduction française : Marie-Christine Louis-Liversidge, Paris
Lecture : Michèle Schreyer, Köln
Mise en page : Frédérique Daise, Paris
Impression et reliure : Sing Cheong Printing Co., Ltd.
Imprimé à Hong-Kong
ISBN 3-89508-675-4

Dépot légal : juillet 1997

SOMMAIRE

Introduction

On entend souvent dire, en plaisantant, que Miami est la capitale de l'Amérique latine et la seule métropole latino-américaine où les téléphones fonctionnent. Le service téléphonique est, en effet, très efficace puisqu'il a même résisté à la violence du cyclone Andrew, en 1992. Des milliers de toitures furent arrachées entre South Miami, sur le continent, jusqu'à la pointe des Keys. Par bonheur, ce jour-là, Andrew décida aussi d'épargner la station balnéaire la plus prestigieuse de Miami : l'éblouissante Miami Beach.

Mais ne nous égarons pas ! Malgré sa réputation d'exotisme et son caractère latino, Miami fait bien partie des Etats-Unis. C'est un endroit magnifique et très vivant, où plus de la moitié de la population parle espagnol. On y trouve autant de petits cafés qui pro-posent leur Boliche (rôti braisé à la cubaine), leur *Ropa Vieja* (bœuf émincé) et leur *Picadillo* (une préparation très complexe de bœuf haché) que de marchands de hamburgers et de hot dogs. Miami, dont le maire est cubain, possède de nombreuses stations de radio et de télévision cubaines. Elle produit aussi le meilleur expresso des Etats-Unis, le *café cubano*. C'est aussi un café au goût si riche et si fort qu'il est servi dans des petites tasses en plastique et on le boit d'un trait, comme un petit verre de bourbon.

A l'instar de son café cubano, Miami agit comme une sorte de potion revigorante. Le mouvement qui l'agite est bien différent de celui des autres villes américaines. La cadence qui fait palpiter son cœur n'a rien à voir avec le rythme imposant et tonitruant de Chicago, ni avec celui de Boston, élégant et dis-

A GAUCHE : Symphonie en rose. Une Cadillac s'harmonise avec l'architecture Art Déco d'un hôtel de South Beach à Miami

A DROITE : Un café sympa sur la Calle Ocho, endroit idéal pour se rafraîchir, un jour de chaleur.

tingué, ni avec la cacophonie new-yorkaise. Miami avance au rythme afro-cubain, avec ses pulsations stimulantes et vivifiantes.

Dès l'arrivée au pouvoir de Fidel Castro en 1959, de nombreux Cubains ont fui leur île natale pour Miami qu'ils ont marquée de leur empreinte. Au centre, ils ont érigé des gratte-ciel en verre pour y installer leurs banques. Ils ont transformé Miami Beach qui était alors une ville de vieilles pensions délabrées. South Beach resplendit maintenant sous la lumière du soleil comme un collier d'aigue-marine et de diamants roses au bord de l'Atlantique. Les plages offrent leur sable chaud aux amoureux du soleil, pendant que les nageurs se laissent glisser sur la crête des vagues. Tel un Las Vegas tropical et un peu moins tapageur, Ocean Drive s'enorgueillit d'hôtels de couleurs pastel magnifiquement restaurés et éclairés d'enseignes lumineuses multicolores.

Chacun de ces petits bijoux possède une terrasse et une salle de restaurant climatisée d'architecture

CI-DESSUS : Domino Park sur la Calle Ocho : un endroit ombragé fréquenté par les joueurs de cartes et d'échec.

A DROITE : Rien ne peut altérer le paysage magique de cette plage de Key Biscayne, pas même les gratte-ciel à l'horizon.

CI-DESSUS : Les couleurs et l'architecture de Vizcaya sont d'influence vénitienne. Seuls, les palmiers sembleraient déplacés dans cette ville.

A DROITE : Naples, en Floride. Ces deux pêcheurs parlent de leur expérience.

A DROITE : Grâce à la proximité du Golfe du Mexique et de l'Atlantique, le poisson tient une place importante dans la Nouvelle Cuisine cubaine.

post moderne. Il y a quelques années, l'arrivée à Miami de photographes de mode et leurs superbes mannequins l'ont transformé en un lieu très branché. En un rien de temps, les restaurateurs saisirent cette occasion pour attirer les plus grands chefs de toute l'Amérique, de l'Europe et de l'Asie pour satisfaire cette clientèle prestigieuse. Aujourd'hui, toutes les célébrités, les artistes, les créateurs de mode, les acteurs, les musiciens, les grands sportifs et les touristes européens, canadiens et sud-américains se disputent les meilleures tables des restaurants et des terrasses de cafés.

Au bord de la plage ou dans Miami, des plats succulents sont toujours à portée de main. Les trottoirs sont de véritables paradis gastronomiques sur lesquels débordent les étals des *fruterias*. Les charrettes de quatre saisons et les devantures des magasins du centre-ville sont aussi superbement achalandés. Il en va de même tout au long de la Calle Ocho à Little Havana jusqu'à Little Managua, Little Haïti et ses environs où habitent Jamaïcains, Dominicains et Portoricains. Ajoutez à cette grande variété de cuisines, les restaurants aux rideaux de dentelle du Coral Gables, de Coconut Grove, de Key Biscayne et de North Miami Beach, et vous aurez une idée de la richesse et de la diversité de la cuisine locale : *muchas comidas* assurément ! Même le cy-

clone Andrew n'a pu altérer très longtemps cette profusion de nourriture. Deux jours après le cyclone, les vendeurs de rues avaient repris leurs postes aux carrefours les plus animés et proposaient déjà leurs petits beignets.

L'excellente cuisine de Miami s'est développée avec l'établissement de ses vastes communautés d'immigrés et d'exilés. Ils ont apporté leurs cuisines traditionnelles, leurs fruits et leurs tubercules. Peu après l'arrivée des Cubains, on commença à cultiver le «mamey sapote» (le fruit national cubain) dans la région, afin de satisfaire la demande locale. Ce produit était alors très exotique pour les Américains. La journaliste d'une revue gastronomique new-yorkaise se souvient d'avoir rapporté un assortiment de fruits tropicaux dans ses bagages. A son arrivée à l'aéroport, elle s'inquiéta soudain d'avoir à affronter un douanier et de devoir se débarrasser de sa précieuse corbeille. Mais elle réalisa enfin qu'elle n'aurait aucune douane à passer, puisqu'elle voyageait à l'intérieur des Etats-Unis.

La cuisine cubaine traditionnelle est un amalgame d'ingrédients et de techniques culinaires espagnoles, africaines et amérindiennes. Si l'on ajoute à ce mélange les innombrables influences de la cuisine américaine, on obtient une Nouvelle Cuisine cubaine.

CI-DESSUS : Key West, en Floride. Grande demeure typique du Sud.

A GAUCHE : South Beach, à Miami. Les maisons restaurées ont retrouvé le charme de leur architecture Art Déco.

Celle-ci peut se définir comme une nouvelle cuisine américaine sur un rythme de conga. Selon la tradition des Cubains de Miami, la plupart des aliments sont braisés ou frits. Les rôtis sont farcis avec d'autres viandes tels que du chorizo et du jambon et sont bardés de lard. Par contre, la Nouvelle Cuisine cubaine est beaucoup plus légère. Les fruits, qu'on utilise à Cuba essentiellement pour les snacks et les milk-shakes (batidos), sont les ingrédients de base de la plupart des plats de cette nouvelle cuisine. On les utilisent aussi comme garniture colorée.

Il n'est pas surprenant que les fruits de mer tiennent une place importante dans cette nouvelle cuisine, car la Floride se situe entre l'Atlantique et le Golfe du Mexique, le grand lac d'Okeechobee et les Everglades. Toutefois, le but de mon livre n'est pas de vous persuader d'aller chasser l'alligator (chasse autorisée seulement un jour par an dans les Everglades), ni de vous enseigner l'art de rôtir un cochon entier sur une broche selon l'ancienne tradition cubaine. Mon objectif est seulement de vous montrer comment donner aux ingrédients qui vous sont familiers, la petite touche épicée propre à Miami, celle qui apportera une diversité, une créativité, une couleur et un rythme à votre table.

LES INGRÉDIENTS

J'ai choisi de commencer ce livre de recettes par les garnitures car elles sont très typiques de la Nouvelle Cuisine cubaine : ce sont des salsas, des mousses, des sauces, des crèmes, des marinades, des vinaigrettes, des chutneys, des beurres aromatisés. Toutes peuvent agrémenter la plupart des plats que je vous propose ou ajouter une pointe d'exotisme à vos propres spécialités. Mes suggestions ne sont en aucun cas exhaustives, et je suis sûre que vous donnerez libre cours à votre imagination.

La Nouvelle Cuisine cubaine utilise beaucoup de fruits tropicaux, de tubercules et de fruits de mer. Tous ces ingrédients font aussi partie de la cuisine des Caraïbes, d'Amérique du Sud, d'Asie et d'Inde. Pour vous les procurer, il faudra explorer les marchés et les boutiques spécialisées en produits exotiques de votre région. Si les articles frais ne sont pas disponibles, n'hésitez pas à utiliser des produits surgelés ou en conserve. Leur qualité s'est beaucoup améliorée. Lisez attentivement les étiquettes et vérifiez leur composition. Assurez-vous, par exemple, que les fruits ne soient pas macérés dans des sirops épais et trop sucrés.

Les quelques années que j'ai passées à Miami m'ont permis d'apprécier la Nouvelle Cuisine cubaine. J'étais critique gastronomique et je devais rédiger un article hebdomadaire sur les différents restaurants de Miami. C'est un travail parfois pénible, mais tout à fait nécessaire. La plupart des recettes de ce livre sont le fruit de mes expériences. Des plats tels que les beignets de crevettes et de pommes de terre, les crêpes de malanga au caviar, la bisque de homard au xérès et les crevettes croustillantes aux agrumes, aux carambles, au gingembre et au rhum, par exemple, ont été créés par les grands chefs de la Nouvelle Cuisine cubaine de Miami.

J'ai pris soin de présenter un glossaire de ces fruits, légumes et poissons tropicaux que vous aurez à utiliser. Vous serez ainsi beaucoup moins ignorants que je ne l'étais, lors du début de mon séjour en Floride.

Je me souviens avoir aperçu un jour, sur un trottoir de Miami, une sorte de fruit d'un rouge très foncé. J'en avais déjà vu dans le jardin de mes voisins et je pensais que celui-ci avait dû rouler sur le trottoir. J'allais le ramasser et l'emporter chez moi afin de l'identifier lorsqu'une vieille femme sortit de chez elle et se précipita vers moi. Je m'attendais à être réprimandée, mais elle désirait seulement me renseigner sur l'objet de ma curiosité. Elle me dit que cette mangue était bien trop mûre et elle m'entraîna vers sa cuisine. Elle sortit trois fruits magnifiques d'un rouge orangé de son réfrigérateur et me les offrit, en me donnant quelques recettes pour les accommoder.

Depuis ce jour-là, je n'ai eu de cesse d'explorer ces ingrédients dont la génération de mes parents n'avait jamais entendu parler : les papayes, les mamey sapotes, les goyaves, les mangues, le manioc, les boniatos, les malangas, les conques, l'alligator et bien d'autres. De nouvelles perspectives culinaires s'offraient à moi. J'ai commencé à hanter les marchés, les boutiques de légumes et de fruits pour me familiariser avec leurs formes et leurs odeurs. J'ai fréquenté régulièrement les restaurants cubains de Miami pour goûter la cuisine de leurs plus grands chefs. J'ai pu ainsi rassembler de précieux renseignements et de nombreuses recettes et je les ai reproduites le plus fidèlement possible dans ma propre cuisine.

Mon objectif est de vous transmettre cette expérience et de vous faire apprécier la Nouvelle Cuisine cubaine comme la vieille dame qui, un jour, m'a initiée à cette alchimie de parfums et de saveurs en m'offrant ces fruits délectables.

GLOSSAIRE

Voici un guide de ces produits de Floride méridionale et
de Cuba, qui donnent toute leur saveur à la Nouvelle
Cuisine cubaine.
Vous trouverez ces ingrédients exotiques dans les boutiques
antillaises, africaines ou asiatiques.

POISSONS & FRUITS DE MER

L'ormeau. Ce coquillage, dont les parois internes
sont nacrées, a une forme d'oreille. On le trouve en
boîte ou surgelé. Il provient du Mexique ou du
Japon. Il est aussi fin que la conque mais on doit
l'attendrir en le hachant, en l'écrasant ou en le
faisant mariner. On le trouve aussi dans les eaux
californiennes, mais sa pêche est extrêmement
contrôlée.

La conque. C'est un gros coquillage spiral que les
enfants mettent à l'oreille pour entendre le bruit de
la mer. En Floride, on prononce ce mot à la
française (Conch, en anglais). Il sert aussi à décrire
les gens de Key West, sous prétexte qu'ils ont la
réputation d'être aussi coriaces que la chair du
coquillage : et ils en sont très fiers !

Le mérou. Il existe quelque cinquante variétés de ce
poisson prédateur près des côtes de Floride. Sa
chair ferme a un goût semblable à celui du loup de
mer qui peut lui être substitué. On peut aussi le
remplacer par du flétan, du corégone ou de la
daurade.

Le marlin. Ce poisson d'eau douce a une chair ferme
et dense, et un goût très riche. On peut le remplacer
par du requin ou de l'espadon et le faire au
barbecue, au gril ou en friture.

Le pompano. C'est le roi des poissons de la côte
atlantique de Floride. Sa chair blanche est très fine
et il se vend très cher à Miami. La sole est plus
économique. Les filets de pompano sont peu épais,
mais ils gardent le bon goût de la mer. Le
restaurateur Dominique d'Ermo, un remarquable
cuisinier français de Miami, déclare que l'on peut
très bien se contenter de filets de daurade, de loup
de mer, de sole ou de saumon rose. Toutefois, ces
filets ne doivent pas faire plus de 2 cm d'épaisseur.

Mérou

L'empereur rouge(lutjan). Ce poisson à chair blanche est très abondant dans les eaux territoriales cubaines, ainsi que près des côtes de Floride. On le trouve sur tous les marchés du pays. Il ressemble au mérou et au loup de mer. L'empereur rouge a une chair maigre mais ferme et possède un goût très spécifique. Si vous n'en trouvez pas, vous pouvez le remplacer par un poisson à chair ferme et blanche tel que la perche, le turbot ou la sole.

FRUITS & LÉGUMES

Le boniato. C'est une patate douce à chair blanche semblable à celle de la pomme de terre. Cependant, sa douceur est plus subtile et à la fois plus épicée que celle de la patate douce, de couleur orange vif, qu'on appelle «igname» par erreur. On dit que Christophe Colomb aurait offert des boniatos à la reine Isabelle, au lieu de pommes de terre, et qu'à cette époque, ce légume aurait été très prisé en Europe. On peut les faire cuire d'autant de façons que les pommes de terre.

La goyave. Voici un autre fruit exotique qui pousse dans de nombreuses parties du monde : en Australie, en Afrique du Sud, et dans beaucoup de pays du Sud-Est asiatique ainsi que sous les tropiques américains. La grosseur de ce fruit varie de la taille d'une noix à celle d'une pomme. Sa pulpe contient de nombreuses graines comestibles. Chacun perçoit son goût différemment : pour certains il rappelle celui de la fraise, pour d'autres il a un goût de banane, ou d'ananas. Mais il a vraiment ses propres caractéristiques. Il est mûr et bien sucré lorsqu'il ressemble à une poire à maturité.

Le malanga. On l'appelle «yautia» à Porto Rico. C'est un gros tubercule noueux, originaire d'Amérique, qui ressemble à une massue. Il possède un goût de noisette très particulier qu'apprécient les Cubains, les Portoricains et les amateurs de la Nouvelle Cuisine cubaine. Si vous lui substituez des pommes de terre, ajoutez une cuillerée à soupe de noix en poudre pour 100 g de pommes de terre afin de retrouver sensiblement le goût unique de la malanga.

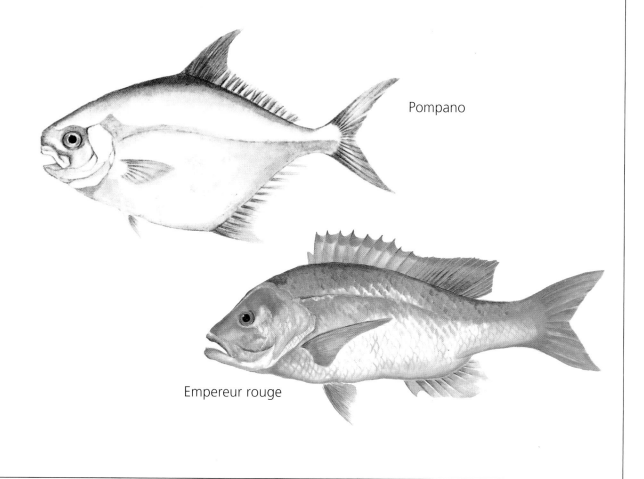

Pompano

Empereur rouge

Les mamey sapotes. La famille des sapotes est très étendue. Mais les Cubains vous diront qu'il n'y en a qu'une sorte, c'est le fruit traditionnel de leur île. Sa peau est brune et rugueuse, sa chair saumon est granuleuse et tout à fait exquise. Son noyau est noir et brillant. Son goût rappelle à la fois celui de la pêche, de la cannelle et de la citrouille.

La mangue. Ce fruit a une chair juteuse, sucrée et acidulée, d'un jaune orangé. Il est à Miami et aux Caraïbes ce que la pomme est aux pays tempérés. Des variétés asiatiques, plus petites, ont la réputation d'être les meilleures au monde. Leur couleur varie du jaune à l'orange et certaines deviennent rouges lorsqu'elles sont mûres. Choisissez-les comme vous choisissez les melons, en appuyant légèrement sur le fruit afin de savoir s'il est mûr. Une allergie au jus de mangue peut provoquer des boursouflures ou des irritations. Si c'est le cas, il vaut mieux se protéger avec des gants de ménage. La mangue peut être remplacée par un mélange de pêches, d'ananas et d'abricots, mais son goût est vraiment unique.

La papaye. Les Cubains l'appellent *fruta bomba* pour s'amuser. On cultivait le papayer aux Antilles, des siècles avant l'arrivée de Christophe Colomb. Produit tout au long de l'année, vous trouverez ce fruit encore vert et ferme sur l'étal de vos marchands. Pour le faire mûrir, enfermez-le quelques jours dans un sac de papier brun très épais que vous avez perforé de quelques trous. Conservez-le à température ambiante. La peau fine de la papaye prendra une teinte jaune rosée, sa chair sera juteuse et d'une couleur orange vif. Son goût ressemble à un mélange de plusieurs variétés de melons. Au centre, une large cavité renferme de nombreuses petites graines noires qui ont un goût de cresson. Vous pouvez les ajouter à une salade composée ou à une vinaigrette. Comme la mangue, ce fruit peut aussi provoquer des allergies. Prenez garde !

A DROITE : Chayotte

CI-DESSUS : Mangue

CI-DESSOUS :
banane plantain

CI-DESSUS : Limes (citrons verts)

CI-DESSUS : Papaye

Le fruit de la passion. Ce fruit au goût intense est apprécié par les plus grands chefs du monde entier. Il peut être très onéreux dans certaines régions du monde, mais seul un peu de jus suffit pour parfumer un plat. Le fruit de la passion a une peau brune d'une couleur de moisi lorsqu'il est à maturité. La pulpe, toute aussi étrange, est remplie de petites graines. Lorsqu'il est bien mûr, il offre toute une variété de parfums : un mélange d'ananas, de goyave et d'agrumes. Son nom vient de sa fleur qui représente un symbole religieux, celui de la passion du Christ.

La banane plantain. Ces grands cousins de la famille de la banane se mangent cuits. Si une recette vous recommande d'utiliser des bananes plantains vertes, choisissez-les bien vertes car elles sont des féculents et ne sont pas sucrées. Si on vous demande de les choisir mûres, elles doivent être encore un peu vertes, teintées de brun jaune. Si elles sont trop vertes pour la recette et que vous n'avez pas le temps de les laisser mûrir, passez-les au four, thermostat 2 (150°), jusqu'à ce que la peau noircisse et se fendille.

Le carambole. Les Indiens lui ont trouvé son nom, mais les Anglais l'ont appelé star fruit (fruit-étoile), un nom tout à fait approprié à sa forme. Sa peau blanche ou jaune est légèrement cireuse. Grâce à ses cinq côtes longitudinales, on obtient une étoile à cinq branches lorsqu'on le tranche. Il n'est pas nécessaire de peler ce fruit. Les variétés à peau blanche sont généralement sucrées. Elles offrent un mélange de goûts de prune, de pomme, de raisin et de citron. Les caramboles jaunes sont généralement un peu acidulés, lorsque leurs côtes sont fines et étroites.

Le manioc. Il s'appelle yuca en anglais et parfois cassava. C'est un tubercule féculent d'une forme un peu bizarre. Sa peau, qui ressemble à de l'écorce, est difficile à éplucher car elle est ferme et fibreuse. Toute bonne cuisine cubaine utilise le manioc. A Miami, un des grands restaurants spécialisés en Nouvelle Cuisine cubaine porte son nom américain. Si vous ne pouvez pas trouver de manioc, utilisez des pommes de terre.

A DROITE : Fruit de la passion

CI-DESSOUS : Manioc

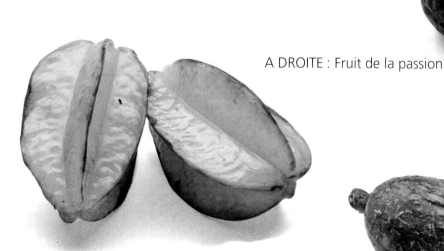

CI-DESSUS : Carambole

ASSAISONNEMENTS

Les graines d'achiote. Elles proviennent d'un arbre tropical américain appelé annatto et sont utilisées depuis des siècles comme colorant alimentaire, d'un jaune orangé. Vous pouvez le remplacer par du paprika. L'achiote n'ayant pas vraiment de goût, il n'est pas indispensable.

La coriandre. On l'appelle aussi «persil chinois», «persil arabe» ou «persil mexicain» suivant les pays. Ce condiment est une herbe de forme large, plate et dentelée. Son goût est très fort et caractéristique. On l'adore ou on le déteste, mais elle est irremplaçable. La plupart des recettes de ce livre demande de nombreux condiments qui peuvent néanmoins se dispenser de la coriandre. Ne confondez pas la coriandre fraîche avec la coriandre en poudre qui provient de la graine de la plante. Son goût est très différent.

Fumée liquide ou sel fumé. Ces produits donnent un goût naturel de fumée ou de barbecue à vos aliments. A mon avis, ils seront de plus en plus utilisés car on n'a pas toujours accès à un barbecue et les aliments fumés ou cuits sur la braise sont très appréciés. La fumée liquide est alors très pratique car il suffit d'en badigeonner la viande avant ou après la cuisson. Le sel fumé s'utilise sur des pommes de terre cuites au four et pour assaisonner les hamburgers, les rôtis et les steaks. On trouve ces ingrédients dans les boutiques qui vendent des barbecues ou dans certains magasins d'alimentation.

La lime ou citron vert. Les citrons verts sont gros comme des prunes. Le citron vert cultivé dans la région des Keys, le «citron des Keys» est beaucoup plus petit et plus acide.

L'orange de Séville. C'est un fruit acide originaire de cette ville espagnole d'après laquelle on l'a nommé. Il est utilisé pour les marinades, mais peut être remplacé par un mélange d'une mesure de jus d'orange non-sucré, d'une demi-mesure de jus de lime et d'une demi mesure de jus de citron.

CI-DESSUS : Mamey sapote

A DROITE : Oranges

MENUS DE FÊTE

POULET

Poulet poché au melon
Riz au jasmin et au gingembre
Asperges au beurre aromatisé au curry
Cœurs de palmier à la vinaigrette au curry
et aux citrons verts
Crème brûlée catalane

Blancs de poulet grillés au citron vert
et au chutney aux poivrons
Nouilles au citron vert et au poivre
Chayottes et carottes sautées au beurre aromatisé
Chiquitas au rhum

Poulet au citron vert
servi sur un lit de purée de haricots noirs
parsemée de ciboulette.

Riz blanc vapeur ou riz au curry
et aux amandes

Carottes râpées à la mayonnaise
au gingembre et à l'orange

Tarte au citron vert

Gaspacho de mangue

Poulet à la crème

Croquettes de bananes plantain
et de pommes

Tarte au chocolat blanc
et à la noix de coco

POISSONS & FRUITS DE MER

Feuilles de trévise farcies aux crevettes roses
et au chorizo

Thon grillé à la coriandre et au citron vert

Pâtes au citron vert et au poivre

Coupe de fruits de la passion

Gaspacho rouge

Empereur rouge aux amandes

Riz au jasmin et au gingembre

Crème brûlée catalane

Soupe de haricots noirs

Sole pané à la salsa d'avocat

Salade verte composée
et vinaigrette au curry et au citron vert

Tarte au citron vert

Bisque de homard au xérès

Gambas sautées aux agrumes,
au carambole, au gingembre et au rhum

Churros et expresso

Croquettes de crabe,
sauce au citron vert et au piment

Salsa de caramboles et de haricots noirs

Maïs en épis

Soupe de pois cassés au chorizo

Gambas sautées aux agrumes,
au gingembre, aux caramboles et au rhum

Tostones au Brie

Salade de chou rouge

Bisque de homard au xérès

Fajitas de saumon dans des feuilles de romaine

Brochettes d'oignons et de tomates servies
avec une sauce au citron vert et au piment

Sorbet à la mangue

Croquettes de malanga au caviar

Espadon au mojito et salade d'ananas,
de noix de coco et de piments

Riz parfumé au jasmin et gingembre

Sorbet au cantaloup

Cocktail de homard et de mangue

Sole aux noix de pécan dans une sauce
au beurre Tango-Mango

Salade chaude de patates douces, de carottes,
d'ananas, d'oranges, de noix de pécan
et de noix de coco

Pâtes aux haricots à la cubaine

Crème renversée au café con leche

Croquettes de crevettes
sur des croquettes de bananes plantain
et de pommes garnies de moutarde à la mangue

Maïs cubana

Chips tropicales cuites au four.

Chiquitas au rhum

Vichyssoise de cannellinis et de manioc

Croquettes de crabe

Chayottes et carottes sautées au beurre aromatisé

Riz au curry et aux amandes

Crème renversée au café con leche

Crackers aux miettes de mérou fumé

Pâtes aux fruits de mer

Salade de chou rouge

Tarte au chocolat blanc et à la noix de coco

Autres suggestions pour des menus originaux

Salade de crabe aux fruits

Macaronis aux poivrons et au chorizo

Chayottes et carottes sautées,
au beurre aromatisé

Tarte au chocolat blanc et à la noix de coco

Vichyssoise de manioc et de flageolets

Porc «isla Boniata» cuit au gril et salsa d'ananas

Croquettes de bananes plantain et de pommes

Churros et expresso

Tranches de filet de porc sur un lit d'épinards
et salsa d'ananas et de noix coco

Croquettes de bananes plantain et de pommes

Tortellinis à la cubaine

Tarte au citron vert

Soupe aux haricots noirs

Picadillo (bœuf haché)
sur des croquettes de riz aux herbes

Sorbet à la mangue

Bisque de homard au xérès

Ropa vieja (bœuf émincé)
dans des tortillas chaudes,
nappées de sofrito et garnies de piments

Maïs cubana

Chiquitas au rhum

Boliche

Riz au curry et aux amandes

Haricots de Lima à la salsa d'agrumes
et de champignons

Crème brûlée catalane

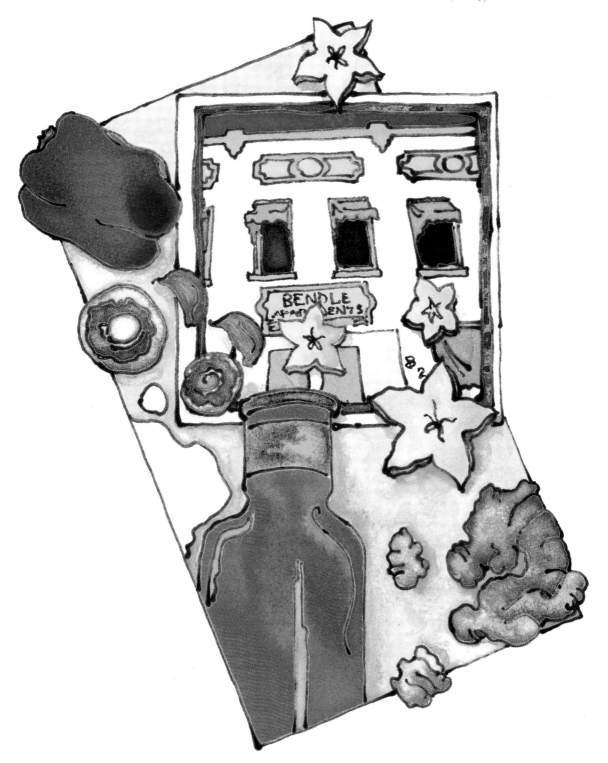

Garnitures

**Salsas, assaisonnements, mousses, crèmes et sauces
marinades et vinaigrettes
chutneys
bûches de beurre**

Dans la cuisine du sud de la Floride, les garnitures donnent aux plats toute leur couleur, leur texture et leur style, avant, pendant et après la cuisson.

Les viandes et la volaille étant plus maigres que jadis, les marinades contribuent à les attendrir et à les rendre mœlleuses.

Le poisson et les fruits de mer marinés sont aussi beaucoup plus fondants et acquièrent plus de saveur. Une cuillerée de chutney à l'ananas sur un filet de poisson lui donne un goût plus relevé.

Ces garnitures sont très faciles à faire. Seules, quelques-unes demandent un peu de cuisson. Elles donnent à vos plats une touche indispensable, celle que le gourmet appréciera. Vous pouvez simplement les servir sur des petits pains, sur des gaufres ou en salades.

Les beurres aromatisés sont aussi très pratiques : fondus sur des légumes chauds, frits ou étalés sur des petits pains ou des crackers, ils sont toujours très appréciés.

Les chutneys peuvent aussi se déguster sur du pain, avec du fromage à tartiner.

Les différents beurres se conservent au moins deux semaines au réfrigérateur dans des pots fermés hermétiquement ou trois mois au congélateur.

A GAUCHE : Buvette sur Calle Ocho, Miami

SALSAS, ASSAISONNEMENTS ET MOUSSES, CRÈMES ET SAUCES.

SALSA DE HARICOTS NOIRS ET DE CARAMBOLES

Cette préparation peut accommoder le poisson et la volaille grillée ou cuite au barbecue. (Voir : Poulet au citron vert, page 94)

- Une boîte de 225 g de haricots noirs, égouttés.
- 75 g de grains de maïs, frais, surgelés ou en boîte et égouttés.
- 225 g de tomates mûres, coupées en petits morceaux
- 4 oignons printaniers hachés
- 1/2 poivron vert, épépiné et coupé en petits morceaux
- 1/2 poivron rouge, épépiné et coupé en petits morceaux

- 2 cuil. à soupe d'huile d'olive
- 125 ml de vinaigre de vin rouge
- Sauce au piment, à volonté
- Sauce Worcestershire, à volonté
- Cumin en poudre, à volonté
- Sel et poivre gris fraîchement moulu, à volonté
- 1 carambole: la moitié tranchée finement en largeur, le reste en petits dés.

Mélangez les haricots, le maïs, les tomates, les oignons, les poivrons, l'huile d'olive et le vinaigre. Assaisonnez à volonté avec la sauce au piment, la sauce Worcestershire, le cumin, le sel et le poivre. Ajoutez le carambole coupé en petits dés et utilisez les tranches larges pour décorer. Couvrez et laissez mariner au réfrigérateur pendant 3 heures. Servez très frais.

SALSA DE PAPAYE ET DE MANGUE

Pour accompagner l'espadon, la truite ou le poisson-chat, les crevettes, le bœuf cuit au gril ou au barbecue, le rôti de bœuf froid et l'empereur rouge aux amandes (page 91).

- *1/2* papaye, épluchée, sans les graines et coupée en gros cubes
- *1/2* mangue, épluchée et coupée en gros cubes
- 1 piment, épépiné et haché
- 1 oignon printanier haché
- 1 cuil. à soupe de sucre
- 1 cuil. à soupe de coriandre fraîche, hachée
- 1 cuil. à soupe de poivron rouge finement haché
- Graines de papaye à volonté (facultatif)

Mélangez tous les ingrédients dans un saladier de taille moyenne, couvrez et mettez au réfrigérateur. Servez bien frais.

SALSA D'AVOCATS

Pour accompagner les blancs de poulet grillés au citron vert (page 96) ou pour remplacer une salade. Cette salsa est idéale pour les tacos.

- 1 concombre épluché, sans les graines et haché
- 1 poivron rouge épépiné et haché
- 450 g de tomates pelées, épépinés et concassées
- 1 gros avocat, épluché et coupé en cubes
- 1 petit oignon rouge, coupé en dés
- 1 cuil. à soupe de vinaigre de vin blanc
- 1 cuil. à café de sucre en poudre
- *1/2* cuil. à café de cumin en poudre
- *1/4* de cuil. à café de sel
- Graines de papaye à volonté (facultatif)

Mélangez tous les ingrédients dans un petit bol, couvrez et mettez au réfrigérateur. Servez très frais.

SALSA DE PAPAYE ET DE MANGUE

SALSA D'ANANAS

SALSA D'AVOCATS ET DE TOMATES CERISES

Pour accompagner les plats de poisson ou de fruits de mer, surtout le thon grillé à la coriandre et au citron vert (page 84).

- 1 citron vert pressé
- 2 avocats mûrs, épluchés et coupés en morceaux
- 900 g de tomates cerises coupées en quatre
- 575 g de grains de maïs surgelés ou en boîte et égouttés
- 1 cuil. à soupe d'huile d'olive

- 2 cuil. à soupe de coriandre fraîche hachée
- 1/4 de cuil. à café d'ail haché
- Sel et poivre gris fraîchement moulu à volonté
- Sauce au piment, à volonté (facultatif)
- Graines de papaye à volonté (facultatif)

Pressez le jus du citron vert sur les avocats. Versez l'huile d'olive sur les tomates et le maïs, mélangez et ajoutez les avocats. Assaisonnez avec la coriandre, l'ail, le sel, le poivre, et la sauce au piment. Ajoutez quelques graines de papaye si vous le désirez.

SALSA D'ANANAS

A servir pour accompagner le jambon ou la viande de porc préparée selon la recette du porc cuit au gril (page 101).

- 450 g d'ananas frais, épluche et coupé en morceaux, ou en boîte dans son jus
- 3 cuil. à soupe de coriandre fraîche

- 2 cuil. à café de jus de citron vert
- 1/8 de cuil. à café de cumin en poudre
- 1/8 de cuil. à café de poivre blanc fraîchement moulu

Mélangez tous les ingrédients dans un bol de taille moyenne, couvrez et laissez reposer au réfrigérateur. Servez bien frais.

SALSA DE CHAMPI-GNONS AUX AGRUMES

Pour accompagner l'empereur rouge rissolé aux amandes (page 91), le poisson grillé ou au barbecue, les fruits de mer ou la volaille, le rôti de bœuf, les légumes verts servis chauds comme des brocolis, des choux de Bruxelles, des haricots verts ou des fèves.

- 1 cuil. à soupe d'huile d'olive
- 2 échalotes ou le blanc de 4 oignons printaniers pelés et hachés.
- 225 g de champignons frais, coupés en tranches fines
- 125 ml de jus d'orange
- 125 ml d'eau de palourdes en conserve
- Sel et poivre gris fraîchement moulu à volonté
- 4 cuil. à soupe de persil ou de coriandre hachés

Faites chauffer l'huile à feu moyen dans une grande poêle. Faites revenir les échalotes pendant une minute. Ajoutez les champignons et faites-les cuire quelques secondes pour les ramollir. Versez le jus d'orange et l'eau de palourdes et portez à ébullition. Laissez mijoter de 5 à 7 mn jusqu'à ce que les champignons soient tendres. Otez le couverce et faites bouillir 5 mn pour épaissir la préparation. Assaisonnez de sel et de poivre et ajoutez le persil et la coriandre. Servez chaud.

SALSA DE MANGUE «DELICATO»

Pour accompagner les coquilles St-Jacques cuites au four et l'Ensalada de Moros y Chistianos (page 67)

- 2 mangues, épluchées et coupées en dés
- 125 ml de vin blanc sec
- 3 cuil. à soupe d'huile d'olive légère
- Sel et poivre blanc fraîchement moulu à volonté

Faites mijoter la mangue lentement dans du vin pour la ramollir. Passez-la au mixeur, faites chauffer à nouveau et ajoutez l'huile d'olive en remuant. Assaisonnez de sel et de poivre. Gardez au chaud et servez tiède.

SALSA DE CARAMBOLES

Pour accompagner le poisson grillé ou au barbecue, le poulet ou le porc. On peut aussi en garnir des moitiés d'avocats.

- 5 ou 6 caramboles, épépinés et coupés en gros morceaux
- 1 poivron vert épépiné et coupé en dés
- 2 poivrons rouges épépinés et coupés en dés
- 1 oignon, haché
- 1 gousse d'ail hachée
- Jus de 2 citrons verts
- 1 goutte de sauce au piment
- Sel à volonté

Dans un petit bol, mélangez tous les ingrédients, recouvrez et placez au réfrigérateur. Servez très frais.

A GAUCHE : Calle Ocho, à Miami : un endroit très fréquenté par les touristes.

SALADE D'ANANAS, DE NOIX DE COCO ET DE PIMENT

PURÉE
DE HARICOTS NOIRS

Pour accompagner des hors-d'œuvre de poulet et de poisson.

- 275 g de haricots noirs en conserve (pas égouttés)
- 1 cuil. à soupe de vinaigre balsamique, de jus de citron vert ou d'orange de Séville
- Sel et poivre gris fraîchement moulu, à volonté
- 2 cuil. à soupe d'oignon rouge haché
- 1 poivron rouge épépiné et coupé en dés

Mélangez les haricots, le vinaigre, le jus de citron vert ou d'orange de Séville. Passez ce mélange au mixeur pour en faire une purée. Assaisonnez de sel et de poivre à volonté. Faites tiédir.

Versez quelques cuillerées de purée sur une assiette et disposez le poulet ou le poisson. Parsemez d'oignon haché et de poivron rouge.

SALADE D'ANANAS,
DE NOIX DE COCO
ET DE PIMENT

Pour accompagner du poulet, du canard, un filet d'empereur rouge au beurre tango-mango (page 88) ou tout autre poisson.

- 150 g d'ananas coupé en dés
- 75 g de poivron jaune épépiné et coupé en dés
- 1 petit oignon rouge coupé en dés
- 7 cuil. à soupe de piment coupé en dés
- 6 grandes cuil. à soupe de flocons de noix de coco desséchée, non sucrée
- 1 cuil. à soupe de vinaigre de xérès

Mélangez tous les ingrédients dans un bol. Couvrez et laissez reposer à température ambiante de 10 à 15 minutes avant de servir.

AÏOLI RAPIDE

Pour accompagner le poisson au court-bouillon, poché, cuit au four ou sauté, les haricots verts, les frites de manioc (page 110), les beignets de conques (page 64), les beignets de morue (page 60) et tous les plats auxquels on peut ajouter de l'ail.

- 2 gousses d'ail écrasées
- 100 g de mayonnaise

Remuez et servez frais.

MAYONNAISE AU GINGEMBRE ET À L'ORANGE

Pour accompagner la salade de poulet aux mangues (page 69), les carottes ou le chou-fleur froid ou chaud, ou un filet de poisson. Vous pouvez aussi en assaisonner vos salades vertes ou l'utiliser comme sauce pour les tranches de bananes plantain au Brie (page 112).

- 350 g de mayonnaise
- 6 cuil. à soupe de jus d'orange
- 4 cuil. à soupe de jus de citron vert
- 3 cuil. à café de zeste
- d'orange râpé
- 4 cuil. à café de gingembre râpé
- Poivre blanc fraîchement moulu

Mélangez tous les ingrédients, couvrez et placez le saladier dans le réfrigérateur. Servez frais.

MAYONNAISE AU GINGEMBRE ET À L'ORANGE

SALSAS, ASSAISONNEMENTS ET MOUSSES, CRÈMES ET SAUCES

SAUCE AU CITRON VERT ET AU PIMENT

Pour accompagner les artichauts, les homards, les coquilles St-Jacques, les pinces de crabes, les croquettes de crabe (page 80) et la lotte dans des feuilles de bananier (page 92).

CI-DESSOUS: Les couleurs pastel des bâtiments Art Déco à South Beach s'adaptent parfaitement à leur environnement naturel.

- 1/2 cuil. à café de sel
- 1 gousse d'ail hachée
- 1 petit piment épépiné et haché
- 4 ou 5 cuil. à soupe de jus de citron vert
- 1 petit oignon, haché
- 6 cuil. à soupe d'eau froide
- 1 ou 2 cuil. à soupe de coriandre fraîche, hachée (facultatif)

Mélanger intimement le piment haché, l'ail et le sel. Ajoutez le jus de citron vert, l'oignon haché, l'eau et la coriandre (facultatif). Laissez reposer 1 heure avant de servir.

CRÈME DE MANGUE SUCRÉE ET PIQUANTE

Pour accompagner le poulet ou les beignets de morue (page 60), les filets de poisson enrobés de noix, le poulet grillé, les croquettes de crevettes (page 90) et le filet d'empereur rouge au beurre Tango-Mango (page 88).

- 250 g de chutney à la mangue, haché grossièrement
- 350 g de marmelade d'orange
- 100 g plus 2 cuil. à soupe de moutarde à l'ancienne
- 1 cuil. à soupe de raifort en bocal (ou utilisez à volonté)

Mélangez tous les ingrédients, couvrez et placez au réfrigérateur. Servez bien frais.

SAUCE À LA VODKA

Pour accompagner le crabe, les beignets de conques
(page 64), les croquettes de crabes (page 80) et les
croquettes de malangas (page 63).

- 225 g de mayonnaise
- 1 cuil. à soupe de
  concentré de tomates
- 4 cuil. à soupe de vodka
- 1 ou 2 oignons printaniers,
  hachés
- 4 cuil. à soupe de persil

haché
- 2 cuil. à soupe de jus de
  citron
- 1 cuil. à café de cumin en
  poudre
- 1/8 cuil. à café de sauce au
  piment

Mélangez la mayonnaise avec le concentré de
tomates dans un petit bol et incorporez le reste des
ingrédients. Continuez à battre. Couvrez et placez
au réfrigérateur de 3 heures à 24 heures.

MOUTARDE AU CITRON VERT

Cette délicieuse moutarde accompagne les beignets de conque (page 64), les beignets de morue (page 60) et tous les poissons panés.

- 450 g de mayonnaise
- 4 cuil. à soupe rases de moutarde
- 4 cuil. à soupe de jus de citron vert
- 1 1/2 cuil. à café de zeste de citron vert râpé
- 2 cuil. à soupe de sauce au piment
- 2 cuil. à soupe de sauce Worcestershire
- Sel et poivre gris fraîchement moulu, à volonté
- Poivre de Cayenne, à volonté
- Graines de papaye, à volonté (facultatif)

Mélangez les ingrédients dans un petit bol, couvrez et placez au réfrigérateur. Servez frais.

A GAUCHE :
MOUTARDE AU CITRON VERT

MOUTARDE À LA MANGUE

Pour accompagner les beignets de conques (page 64) et le poisson frit ou les fruits de mer, surtout panés, et les sandwichs nuevo cubano (page 59).

- 180 ml d'huile d'olive
- 225 g de moutarde
- 250 ml de vin blanc sec
- 4 cuil. à soupe de purée de mangue fraîche, surgelée ou en boîte (non-sucrée) et égouttée
- 1 cuil. à café de sel à l'ail
- 2 cuil. à soupe de sauce de soja
- Graines de papaye, à volonté (facultatif)

Dans un bol, mélangez la moutarde et le vin. Versez l'huile en filet tout en battant au fouet. Ajoutez la purée de mangue, le sel à l'ail, la sauce de soja et les graines de papaye selon votre goût. Recouvrez et placez au réfrigérateur. Servez frais.

SOFRITO

Le mot «sofrito» vient de l'espagnol «sauté». Cette salsa de tomates et de poivrons est aussi une des recettes de base de la cuisine cubaine.

Elle peut accompagner le poulet et le riz, la morue basquaise, et les omelettes et napper les tortillas au fajitas ou à la ropa vieja (page 102).

- 2 oignons finement hachés
- 1 gros poivron vert épépiné et coupé en dés
- 5 gousses d'ail écrasées
- 125 ml d'huile d'olive
- 1 boîte de 100 g de piment coupés en dés et égouttés
- 1 boîte de 275 g de sauce tomate
- 1 cuil. à café d'origan séché
- 1 cuil. à soupe de vinaigre de vin rouge

Faites dorer les oignons, le poivron et l'ail dans de l'huile d'olive dans une grande poêle à feu doux pendant 15 mn. Ajoutez les piments et laissez cuire 5 mn de plus toujours à feu doux. Ajoutez la sauce tomate, l'origan et le vinaigre et laissez cuire 10 mn de plus. Laissez refroidir et placez au réfrigérateur dans un bocal hermétique. Vous pouvez conserver le sofrito jusqu'à deux semaines.

VINAIGRETTE AU CURRY ET AU CITRON VERT

Pour accompagner le saumon, le poulet, les artichauts, les champignons et les asperges. Vous pouvez assaisonnez la farce des fajitas de saumon (page 92) et la servir avec le chutney au homard et aux mangues (page 53).

- 1 1/2 cuil. à café de zeste de citron vert finement râpé
- 3 ou 4 cuil. à soupe de jus de citron vert
- 4 cuil. à soupe de poudre de curry
- 125 ml d'huile de carthame
- Sel et poivre blanc fraîchement moulu à volonté
- Graines de papaye à volonté (facultatif)

Mélangez le zeste et le jus du citron vert dans un bol de taille moyenne. Battez ensemble la poudre de curry, l'huile de carthame et l'assaisonnement désiré. Remuez bien et servez à température ambiante.

39

LE MOJITO

C'est le ketchup des Cubains, mais contrairement au ketchup américain, il est très relevé.

Il accompagne les viandes, le poisson et les fruits de mer grillés ou au barbecue, les frites tropicales cuites au four (page 113) et les frites de manioc (page 110). On l'utilise comme marinade pour le poulet et le porc.

- 1l de jus d'orange de Séville (à peu près 20 oranges)
- 450 ml d'huile d'olive
- 12 gousses d'ail écrasées
- 8 cuil. à soupe d'oignon finement haché
- 4 cuil. à soupe de xérès sec
- 4 cuil. à café de sel
- 4 cuil. à café d'origan séché
- 2 cuil. à café de cumin en poudre
- 1/4 gingembre frais, haché

Mélangez le jus d'orange et de citron vert. Versez l'huile puis ajoutez l'ail, l'oignon, le xérès, le sel, l'origan, le cumin et le gingembre. Conservez cette sauce dans une bouteille ou dans un bocal hermétique et laissez reposer au réfrigérateur au moins 24 heures avant l'emploi. On peut le garder à peu près deux semaines au frais.

A DROITE : Española Way près de South Beach, Miami.

CHUTNEY AUX TOMATES ET AU GINGEMBRE

Pour accompagner les fajitas de flanchet (page 62), les
rôtis de bœuf et de porc.

- 1 gousse d'ail hachée
- 100 g de gingembre frais, épluché et haché
- 250 ml de vin de riz ou de vinaigre de cidre
- 50 g de sucre

- 1 cuil. à café de sel
- 1 cuil. à café de poivre de Cayenne
- 675 g de tomates rondes, pelées, épépinées et concassées.

Mélangez tous les ingrédients dans une poêle en fonte. Laissez mijoter à feu modéré, en remuant de temps en temps jusqu'à ce que la sauce réduise de moitié. Laissez refroidir à température ambiante avant de servir.

CHUTNEY AUX POIVRONS

Pour accompagner les tostones au Brie
(page 112), les viandes, le poisson et la volaille
grillée. Utilisez pour garnir les pizzas ou pour
remplir les chaussons.

- 2 cuil. à soupe d'huile d'olive
- 1 oignon rouge haché
- 3 gousses d'ail écrasées
- 3 cuil. à soupe de vinaigre de vin
- 2 cuil. à soupe de sucre brun
- 1 cuil. à soupe de mélasse raffinée
- 1 cuil. à soupe de graines de moutarde
- 1 cuil. à soupe de clou de girofle en poudre
- 1/2 cuil. à café de macis
- 1/2 cuil. à café de quatre-épices
- 1 cuil. à soupe de cannelle
- 5 poivrons rouges epépinés et coupés en lamelles
- Sel et poivre fraîchement moulu à volonté

Faites chauffer l'huile dans une petite poêle et faites
revenir les oignons et l'ail. Ajoutez le vinaigre, le
sucre, la mélasse, les graines de moutarde et les
épices. Mélangez bien, ajoutez les poivrons rouges et
faites cuire 2 mn. Assaisonnez à volonté. Servez
chaud ou à température ambiante.

43

BÛCHES DE BEURRE
AROMATISÉ

QUELQUES CONSEILS

Utilisez du beurre légèrement salé ou sans sel, selon vos préférences. Vous pouvez même utiliser de la margarine mais le goût n'est pas aussi riche. Lorsque le beurre est à température ambiante, battez ensemble tous les ingrédients dans un petit bol. Formez une bûche de 30 cm de long et enveloppez-la dans un scellofrais en fermant les deux bouts comme un papier de bonbon. Placez-la dans le réfrigérateur jusqu'à ce qu'elle devienne ferme. Une bûche contient à peu près une douzaine de cuillerées à café de noix de beurre. Seule, la première recette demande une cuisson légère. Pour les autres, suivez simplement les indications de ce paragraphe.

BÛCHE AU CURRY

Pour accompagner les crevettes ou le poulet grillés ou cuits au barbecue, le riz, les légumes servis chauds tels que le maïs, les carottes, les haricots verts, les épinards et les asperges. Il peut aussi agrémenter les tomates grillées en ajoutant un peu de chapelure sur le beurre fondu.

- 1 oignon moyen, haché
- 225 g de beurre ramolli, partagé en deux morceaux
- 2 cuil. à soupe de curry en poudre
- 4 cuil. à soupe de chutney préparé, haché
- 1/2 cuil. à café de poivre blanc fraîchement moulu

Dans une petite poêle, faites revenir l'oignon dans la moitié du beurre à feu doux, en remuant. Ajoutez le curry en poudre, le chutney et le poivre blanc. Laissez refroidir.

Dans un bol battez légèrement le reste du beurre et le beurre au curry.

BÛCHE AU SAFRAN
ET À L'ORANGE

Versez ce beurre fondu sur les homards, les coquilles St-Jacques, les crevettes cuites à la vapeur ou au barbecue, le riz blanc à la vapeur et les asperges.

- 225 g de beurre ramolli
- Zestes râpés de 2 oranges
- 1 cuil. à café de safran finement haché

A DROITE
BÛCHE DE BEURRE AU CURRY

BÛCHES DE BEURRE AROMATISÉ

BÛCHE AU JUS DE CITRON VERT ET À LA CIBOULETTE

Utilisez pour le poulet à la crème (page 97), les côtelettes de veau ou de porc et pour faire fondre sur les fruits de mer ou le poisson.

- 225 g de beurre ramolli
- 7 cuil. à soupe de ciboulette finement hachée
- 2 cuil. à soupe de jus de citron vert concentré
- 1 cuil. à soupe de thym frais haché ou 1/2 cuil. à café de thym en poudre

BÛCHE DE BEURRE FUMÉ À L'ANANAS

Utilisez pour les homards au barbecue, les crevettes ou les coquilles St-Jacques.

- 225 g de beurre ramolli
- 100 g d'ananas en boîte égoutté et finement haché
- 1 cuil. à café de fumée liquide

A DROITE
BÛCHE DE BEURRE FUMÉ À L'ANANAS

BÛCHE TANGO-MANGO

Si vous n'avez pas de mangues à votre disposition, remplacez-les par 100 g de pêches et 100 g de purée d'ananas. Servez avec la sole aux noix de pécan (page 84) ou le filet d'empereur rouge au beurre Tango-Mango (page 88).

- 225 g de beurre ramolli
- 225 g de mangue fraîche ou en boîte, épluchée ou égouttée et écrasée en purée
- 2 cuil. à café de jus de citron vert
- 2 cuil. à soupe de menthe fraîche finement hachée
- 1 cuil. à café de noix de muscade râpée

A GAUCHE
BÛCHE DE BEURRE TANGO-MANGO

CI-DESSOUS : Ce grand hall de restauration réunit des cuisines internationales. Situé près du centre des arts, il est fréquenté pendant le déjeuner par le personnel des bureaux de Miami.

BÛCHE À LA MOUTARDE ET À LA CIBOULETTE

Vous pouvez faire fondre ce beurre sur du poisson, du poulet, du veau ou des légumes à la vapeur, le tartiner sur des sandwichs ou en garnir des pommes de terre que vous faites cuire au four.

- 225 g de beurre ramolli
- 6 cuil. à soupe de ciboulette fraîche hachée
- 4 cuil. à soupe de moutarde
- 2 cuil. à café de jus de citron
- 1/2 cuil. à café de poivre blanc fraîchement moulu
- 1 pincée de sel

BÛCHE AU CITRON VERT ET À LA TOMATE

Pour accompagner les artichauts.

- 225 g de beurre ramolli
- 6 cuil. à soupe de tomates rouges séchées au soleil et hachées
- 2 cuil. à soupe de jus de citron vert concentré, décongelé
- 1 cuil. à soupe de basilic frais haché

BÛCHE AU PERSIL ET AUX AGRUMES

Etalez ce beurre sur une tranche de pain, posez une tranche de concombre et une fine lamelle de saumon fumé.

- 225 g de beurre ramolli
- 2 cuil. à café de zeste d'orange râpé
- 6 cuil. à soupe de jus d'orange
- 2 cuil. à café de zeste de citron râpé
- 2 cuil. à café de jus de citron
- 2 cuil. à café de zeste de citron vert râpé
- 4 cuil. à café de jus de citron vert
- 6 cuil. à soupe de persil frais haché
- Sel et poivre gris fraîchement moulu à volonté

BÛCHE À L'AVOCAT

Pour un petit en-cas délicieux, beurrez des tortillas chaudes pour leur donner un bon goût de noisette, puis recouvrez-les avec des tranches de châtaignes égouttées, des germes de soja ou des concombres.

- 225 g de beurre ramolli
- 1/2 avocat épluché et coupé en petits morceaux
- 2 cuil. à soupe de citron vert
- 2 cuil. à soupe de persil haché
- 2 cuil. à soupe de sauce Worcestershire
- 1/2 cuil. à café d'ail haché
- 2 gouttes de sauce au piment

BÛCHE AUX AGRUMES DE L'ÎLE

Vous pouvez en versez sur le sole aux noix de pécan (page 84), ou le faire fondre sur des haricots verts frais, des choux-fleurs, des brocolis ou des asperges.

- 225 g de beurre ramolli
- 3 cuil. à soupe de jus d'orange, de citron vert ou de jus de citron concentré
- 2 cuil. à soupe de zeste râpé de citron vert
- 1 pincée de noix de muscade râpée

A GAUCHE : Début de soirée à la terrasse d'un café de South Beach. Les clients admirent la superbe Cadillac garée sous leurs yeux.

A DROITE
BÛCHE DE BEURRE AUX AGRUMES DE L'ÎLE

Hors-d'œuvre et en-cas

CHUTNEY AU HOMARD ET À LA MANGUE

Le goût subtil du homard et celui de la mangue
s'accordent parfaitement avec la saveur épicée et
acidulée de la vinaigrette.

Pour 4 personnes

- 1 boîte de 275 g de homard
  égoutté, coupé en
  morceaux d'1 cm et mis au
  frais
- 175 g de céleri finement
  coupé
- 675 g de mangue fraîche
  ou en boîte, égouttée,
  hachée et mise au frais
- 125 ml de vinaigrette au
  curry et au citron vert
  (page 39)
- 4 feuilles de romaine, de
  feuille de chêne rouge ou
  de trévise
- 4 cuil. à café d'oignon
  printanier finement coupé
  pour garnir

Dans un saladier mélangez le homard, le céleri, la
moitié des morceaux de mangue et la vinaigrette au
curry et au citron.

Disposez les feuilles de salade dans les assiettes,
ajoutez les morceaux de mangue et recouvrez-les
avec la préparation à base de homard. Garnissez à
votre goût et servez aussitôt.

CAVIAR SUR UN LIT DE CRÈME FRAÎCHE

C'est un plat de Mark Militello, un des grands restaurateurs de Miami. Le Mark's Place, son restaurant est réputé pour ses plats tropicaux, mais cette recette originale fait partie de ces créations les plus appréciées..

Pour 4 à 6 personnes

- 1 oignon haché menu
- 4 œufs durs hachés finement
- 1 boîte de 225 g de crème fraîche
- 30 g de caviar d'esturgeon
- 25 g de laitance de saumon
- 25 g d'œufs de lompe
- 25 g d'œufs de lompe rouge
- Tranches de citron vert et toasts coupes en triangle pour garnir

Enveloppez l'oignon haché dans un morceau de tissu et serrez-le pour en faire sortir le jus. Recouvrez-en le fond d'un plat creux en céramique de 22,5 à 25 cm de diamètre. Etalez les œufs sur l'oignon, aplatissez doucement avec le dos d'une cuiller. Recouvrez de crème fraîche. (La recette peut se préparer la veille.)

Avant de servir, disposez des petits ronds de caviar sur la crème fraîche. Garnissez avec les tranches de citron vert et les toasts en triangle.

MIETTES DE MARLIN FUMÉ

Voici un autre plat importé de Key West, dont la renommée s'est étendue bien au-delà de Miami. Servez-le avec des petits toasts en triangle pour des cocktails ou des dîners. On peut le préparer la veille et il est très facile à réaliser.

Pour 4 personnes

- 225 g de marlin fumé
- 4 cuil. à soupe rases d'achards
- 2 cuil. à soupe de raifort préparé
- 1/4 de cuil. à café de jus de citron vert
- 1/2 cuil. à café de sauce au piment (ou à volonté)
- Jusqu'à 75 g de mayonnaise
- Sel et poivre fraîchement moulu à volonté

Emiettez le marlin grossièrement dans un bol. Ajoutez les achards, le raifort, l'oignon et le jus de citron vert et mélangez bien. Ajouter la moitié de la sauce au piment et la moitié de la mayonnaise. Mélangez et goûtez. Ajoutez un peu plus de sauce au piment selon votre goût. Salez et poivrez à volonté. Ajoutez de la mayonnaise si la sauce n'est pas assez consistante.

A DROITE
MIETTES DE MARLIN FUMÉ

SANDWICHES TROPICAUX

Fines tranches de filet de bœuf sur du pain au beurre aromatisé et à la salsa de papaye et de mangue. La salsa donne une couleur très vive à ces délicieuses petites tartines. Servez-les avec de la soupe froide en été ou tiède en hiver pour égayer votre repas.

Pour 4 à 6 personnes

- 1,3 kg de filet de bœuf
- 1/2 cuil. à soupe d'huile de maïs
- 1 gousse d'ail
- Sel et poivre gris fraîchement moulu, à volonté
- 1 gros pain parisien
- 2 cuil. à soupe de bûche de beurre aux agrumes et au persil (page 50), à température ambiante
- 350 g de salsa de papaye et de mangue (page 28)
- Persil frais ou coriandre pour garnir

Allumez le four, thermostat 8 (230°). Dégraissez le filet et badigeonnez-le avec de l'huile. Frottez-le ensuite avec l'ail coupé en deux. Salez et poivrez. Mettez-le à rôtir au four pendant 15 mn. Continuez la cuisson pendant 15 mn, thermostat 4 (180°). La viande doit être bleue. Sortez le plat du four et laissez refroidir au moins 20 mn avant de découper le filet, couvrez-le et placez au réfrigérateur pendant une nuit.

Coupez la viande en tranches fines. Coupez le pain en tranches d'1 cm d'épaisseur et tartinez de beurre aux agrumes et au persil. Posez les tranches de filet et ajoutez une petite cuillerée de salsa de papaye et de mangue. Disposez sur un plateau et garnissez de coriandre frais ou de persil.

FEUILLES DE TRÉVISE FARCIES

Servez ces petits paquets savoureux lors de votre prochaine fête avec de la vinaigrette au curry et au citron vert (page 39), du mojito (page 40) ou avec les chutneys du premier chapitre.

Pour 4 personnes

- 225 de chorizo sans la peau et coupé en petits dés
- 1/2 poivron vert épépiné et coupé en dés
- 1 1/2 cuil. à café d'huile d'olive
- 1/2 poivron rouge épépiné
- et coupé en dés
- 225 de crevettes crues de taille moyenne, décortiquées et coupées en dés
- 20 feuilles de trévise
- 20 olives farcies pour garnir (facultatif)

Faites frire les saucisses et les poivrons dans une grande poêle à feu moyen jusqu'à ce que les poivrons soient tendres, environ 8 mn. Ajoutez les crevettes et continuez la cuisson pendant 2 mn, jusqu'à ce que les crevettes ne soient plus translucides.

Enveloppez deux cuillerées à soupe de cette préparation dans une feuille de trévise que vous fermez avec un bâtonnet orné d'une olive. Servez sans attendre.

A DROITE
FEUILLES DE TRÉVISE FARCIES AUX CREVETTES ET AU CHORIZO

A DROITE: Rangée de maisons d'inspiration architecturale espagnole sur Española Way à Miami.

AILES DE POULET AUX CACAHUÈTES

Faciles à manger, elles sont très appréciées avec les cocktails.

Pour 4 personnes

- 12 ailes de poulet ou pilons
- Sel, poivre noir fraîchement moulu à volonté
- 2 cuil. à soupe de beurre de cacahuètes
- 2 cuil. à soupe de sauce de soja
- 1 1/2 cuil. à soupe de miel
- 1/2 cuil. à café de cumin en poudre
- 1 gousse d'ail hachée

- 1/4 à 1/2 cuil. à café de piment rouge séché en paillettes (ou à volonté) ou des piments épépinés et finement hachés
- 75 g de cacahuètes grillées salées ou non salées écrasées finement
- 3 à 4 cuil. à soupe de coriandre fraîche hachée menu

Allumez le four, thermostat 6 (200°). Disposez les ailes ou les pilons dans un plat à four peu profond dont vous avez recouvert le fond d'une feuille d'aluminium, salez et poivrez. Faites dorer au four pendant 30 mn.

Dans une petite poêle, faites chauffer à feu doux le beurre de cacahuètes, la sauce de soja, le miel, le cumin, l'ail et les paillettes de piment. Remuez jusqu'à ce que vous obteniez une pâte onctueuse que vous étalerez sur les ailes de poulet ou les pilons avant de les remettre au four, de 10 à 15 mn. Aussitôt avant de servir, parsemez de cacahuètes pilées et de coriandre. Laissez légèrement refroidir avant de servir.

SANDWICHS NUEVO CUBANO

Ils sont très appréciés dans le sud de la Floride. La moutarde à la mangue (page 37) leur donne un goût plus relevé que celui du sandwich ordinaire. Vous pouvez aussi ajouter quelques tranches de saucisson à la viande froide.

Pour 4 personnes

- 1 gros pain parisien ou 1 baguette
- 4 cuil. à soupe rases de moutarde à la mangue (page 37)
- 450 g de fines tranches de jambon fumé
- 450 g de rôti de porc coupé en tranches fines
- 225 g de gruyère coupé en lamelles de 5 cm de large
- Tomates coupées en tranches fines
- Cornichons à l'aneth, coupés en tranches fines
- 1/2 laitue coupée en lamelles

Coupez le pain en deux dans le sens de la longueur et tartinez les deux moitiés avec de la moutarde à la mangue. Alternez les tranches de jambon, de rôti de porc et de fromage. Passez sous le gril jusqu'à ce que la moitié du pain sans garniture soit légèrement toastée. Ajoutez les tomates, les cornichons et la laitue sur la viande et le fromage et recouvrez avec l'autre moitié du pain. Coupez pour faire 4 sandwichs.

BEIGNETS DE MORUE

A Miami, on les sert avec de l'aïoli, à la Havane on les arrose de quelques gouttes de jus de citron vert. Vous pouvez aussi les savourez avec la sauce à la vodka (page 35).

Pour 4 personnes
(à peu près une douzaine de beignets)

- 150 g de morue salée (laissez dessaler dans un bol rempli d'eau, au réfrigérateur, pendant 24 heures. Changez l'eau de temps en temps)
- 2 pommes de terre de taille moyenne, épluchées et coupées en dés
- 1 œuf
- 1 cuil. à soupe de beurre
- 1/8 cuil. à café de poivre gris fraîchement moulu
- huile végétale pour la friture

Mettez les pommes de terre et la morue dans une casserole à fond épais et recouvrez d'eau. Faites cuire jusqu'à ce que les pommes de terre soient tendres. Egouttez et laissez refroidir. Emiettez la morue avec les doigts pour en retirer les arêtes. Mélangez-la avec les pommes de terre, l'œuf, le beurre et le poivre gris.

Remplissez d'huile (environ 5 à 7,5 cm d'épaisseur) une grande poêle ou une friteuse. Chauffez à 190°. Versez quelques cuillerées à soupe de pâte sans trop remplir la poêle. Si le beignet remonte à la surface, submergez-le avec une cuiller en métal. Sortez de l'huile lorsqu'ils sont dorés. Posez sur un essuie-tout pour les égoutter et servez aussitôt.

MIETTES DE MÉROU FUMÉ

Ce délicieux en-cas est servi dans beaucoup de pubs du sud de la Floride. On le déguste habituellement sur des crackers ou avec des crudités. Des poissons à chair blanche comme le flétan, le corégone, l'empereur rouge peuvent remplacer le mérou. A la rigueur, vous pouvez même utiliser une boîte de saumon rose.

Pour 4 personnes

- 200 g de mérou dont on a retiré la peau et les arêtes
- 275 g de fromage frais (cream cheese) ramolli
- 1 cuil. à soupe de jus de citron vert
- 1 cuil. à soupe d'oignon râpé
- 1 cuil. à café de raifort préparé
- 1/4 de cuil. à café de fumée liquide
- 50 g de noix écrasées
- 3 cuil. à soupe de persil ou de coriandre frais hachés

Mettez le mérou, le fromage, le jus de citron vert, l'oignon, le raifort et la fumée liquide dans un mixeur. Mixez jusqu'à obtenir une pâte onctueuse. Ajoutez les noix et le persil ou la coriandre. Versez le mélange dans un petit saladier. Recouvrez et placez au réfrigérateur avant de servir.

A DROITE
MIETTES DE MÉROU FUMÉ

60

FAJITAS DE FLANCHET

Le mot fajitas signifie littéralement «petites ceintures fines». Autrefois, le long de la frontière du Mexique et du Texas, tous les morceaux de bœuf, même le flanchet, étaient utilisés pour nourrir les ouvriers du ranch et les vachers. La viande, coupée en lamelles (fajitas), était marinée afin de l'attendrir puis on la faisait griller. Ces lamelles remplissaient ensuite les tortillas de farine.

Cette recette est mon interprétation d'un plat que j'ai goûté chez Louie's Back Yard à Key West, un restaurant à la mode, très élégant. On peut servir ces fajitas avec du chutney de tomate et de gingembre (page 42) et les envelopper dans des feuilles de salades pour remplacer les tortillas.

Pour 4 personnes

- 675 g de Mojito (page 40)
- 3 à 4 cuil. à soupe de moutarde
- 4 cuil. à soupe de sauce de soja
- Sel et poivre gris fraîchement moulu à volonté
- 450 g de flanchet dégraissé et coupé en fines tranches
- 2 cuil. à soupe d'huile d'olive
- 12 tortillas tièdes
- 2 tasses de chutney de tomate et de gingembre (page 42)
- Crème aigre (facultatif)
- Rondelles de citron vert et coriandre pour garnir (facultatif)

Mélangez le mojito, la moutarde, la sauce de soja, le sel et le poivre et faites mariner les fines tranches de viande. Placez au réfrigérateur pendant 24 heures.

Egouttez la viande et faites-la frire dans un peu d'huile préalablement chauffée pendant 4 ou 5 mn. Retirez du feu.

Garnissez les tortillas et recouvrez-les de chutney à la tomates et au gingembre et de crème fraîche. Garnissez de rondelles de citron et de coriandre.

CI-DESSOUS : Les jardins d'agrément de Vizcaya, qui furent terriblement endommagés par le cyclone Andrew en 1992.

CROQUETTES DE MALANGAS AU CAVIAR

Ces petites croquette mettent en valeur le précieux caviar. Servez avec une sauce à la vodka (page 35).

Pour 4 personnes

- 100 g de malangas ou de pommes de terre, épluchés et râpés grossièrement
- 100 g de boniatos ou de pommes de terre, épluchés et râpés grossièrement
- 1 œuf
- 1 1/2 cuil. à soupe de coriandre fraîche finement hachée

- 1 gousse d'ail hachée
- 1/2 cuil. à café de jus de citron vert
- 1/2 cuil. à café de sel
- 1 cuil. à soupe de beurre
- 1 cuil. à soupe d'huile végétale
- 8 cuil. à soupe de caviar

Remarque : Si vous utilisez des pommes de terre à la place des malangas, ajoutez une cuillerée à café de noix pilées dans la préparation à l'œuf. Si vous utilisez des pommes de terre à la place des boniatos, ajoutez 1/4 de cuillerée à café de quatre-épices à la préparation.

Dans un saladier, battez un œuf et ajoutez la coriandre, l'ail, le citron vert et le sel. Incorporer ensuite les tubercules râpés que vous avez préalablement séchés dans un tissu. Laissez reposer 20 mn à température ambiante.

Dans une grande poêle, faites chauffer le beurre et l'huile à feu doux. Versez la pâte à l'aide d'une grosse cuillère pour former 8 croquettes d'environ 10 cm chacune. Laissez dorer pendant 5 mn, retournez une seule fois.

Posez ces croquettes sur une assiette chaude ou sur un plateau chauffant. Garnissez-les d'une fine couche de caviar (environ 1 cuillerée à soupe par croquettes). Servez sans attendre.

BEIGNETS DE CONQUES

La réputation des restaurants de Miami repose sur les beignets de conques. Des Keys jusqu'à Miami, on adore ces petites croquettes épicées. Elles seront aussi très appréciées à vos dîners de fête.

Pour 4 personnes

- 450 g de conques, d'ormeaux ou de calmars, blanchis et finement hachés au hachoir ou au mixeur
- 2 poivrons verts épépinés et coupés en tranches fines
- 2 petits oignons coupés en petits dés
- 2 cuil. à café de levure chimique
- 3 branches de céleri coupées finement
- 1 gros œuf
- 2 cuil. à café de coriandre fraîche, hachée
- 1/2 cuil. à café de poivre de Cayenne
- 2 cuil. à café de sauce Worcestershire
- 1 gousse d'ail écrasé
- 1 pincée de thym en poudre
- 1/4 de poivre gris fraîchement moulu
- 1 pincée de levure chimique
- 250 ml de lait
- 175 g de farine pour gâteaux (avec levure incorporée)
- Huile végétale pour friture

Mélangez les conques (ou les autres ingrédients de substitution), les poivrons, les oignons, la levure chimique, le céleri, l'œuf, la coriandre, le poivre de Cayenne, la sauce Worcestershire, l'ail, le thym, le poivre gris, la levure chimique et le lait. Incorporez peu à peu la farine, couvrez et laissez au réfrigérateur pendant 24 heures.

Dans une grande casserole à fond épais, ou une friteuse, faites chauffez l'huile à un niveau de 5 à 7,5 cm de profondeur à 180°. Versez quelques cuillerées à soupe de pâte dans l'huile, sans remplir la friteuse. Si les croquettes remontent à la surface, submergez-les à l'aide d'une écumoire. Lorsqu'elles sont bien dorées, sortez-les une par une et posez-les sur un essuie-tout et servez aussitôt.

Salades

SALADE DE CRABE AUX FRUITS

Les bâtonnets de fruits de mer et les bâtonnets de crabe agrémentent parfaitement ce plat qui ne nécessite aucune cuisson. Vous pouvez remplacer le crabe par un poisson à chair blanche moins onéreux.

Si vous utilisez l'ananas frais, coupez-le en quatre dans le sens de la longueur avec le pédoncule et les feuilles. Découpez la chair, ôtez le trognon et gardez les quatre coques pour la présentation de la salade.

Pour 4 personnes

- 1 ananas frais ou 450 g d'ananas non sucré en boîte, coupé en gros morceaux et égoutté
- 950 g de crabe coupé en morceaux, de bâtonnets de fruits de mer ou de bâtonnets de crabe
- 1 grosse mangue, épluchée et coupée en dés
- 225 g de petites boules de melon de Cavaillon
- 2 tasses de raisins sans pépins
- Yoghourt ou crème fraîche pour servir (facultatif)

Mélangez l'ananas, le crabe ou les bâtonnets, la mangue, les petites boules de melon et le raisin. Garnissez les coques ou servez dans des petits bols en verre. Mettez au réfrigérateur jusqu'au moment de servir. Ajoutez une cuillère de yoghourt ou de crème fraîche si vous le désirez.

66

ENSALADA DE MOROS Y CRISTIANOS

Les Cubains appellent le mélange de haricots noirs et de riz le
« Moros y Cristianos» (les Maures et les Chrétiens). L'origine de ce
nom date de l'invasion de l'Espagne chrétienne par les Sarrasins au
VIII ème siècle.

Voici une salade que vous pouvez agrémenter d'une cuillerée de
salsa de mangue «Delicato» (page 30) selon vos goûts.

Pour 4 à 6 personnes

- 575 g de haricots noirs, rincés et égouttés s'ils sont en boîte
- 350 g de riz blanc, cuit
- 50 g de coriandre émincée
- 4 cuil. à soupe de jus de citron vert
- 175 ml d'huile d'olive
- 1 petit oignon haché
- 2 gousses d'ail haché
- Sel et poivre fraîchement moulu à volonté

Mélangez les haricots, le riz et la coriandre. Dans un petit bol, versez l'huile sur le jus de citron vert en battant. Ajoutez l'oignon et l'ail et assaisonnez les haricots et le riz avec cette vinaigrette. Salez et poivrez à volonté.

CHOU À LA MAYONNAISE ET AU PAMPLEMOUSSE

En Floride on utilise des petits citrons verts des Keys, mais si vous ne pouvez pas en trouver dans votre région, remplacez-les par des citrons verts habituels et diminuez la quantité de sucre d'une cuillerée. Si vous avez des problèmes de poids ou de cholestérol utilisez de la mayonnaise sans matières grasses.

Pour 4 ou 6 personnes

- 1/2 chou vert rincé et égoutté
- 2 carottes épluchée
- 1 petit oignon
- 2 cuil. à soupe d'huile de maïs
- 2 pamplemousses roses épluchés, épépinés et coupés en gros morceaux
- 2 cuil. à soupe de jus de citron vert des Keys ou autres
- 4 cuil. à café de sucre (3 si vous utilisez des citrons vert habituels)
- 4 cuil. à soupe de mayonnaise
- 2 cuil. à café de moutarde
- Salez et poivrez à volonté

Coupez le chou, les carottes et l'oignon en fines lamelles, ajoutez l'huile et remuez. Dans un bol, mélangez le pamplemousse, le jus de citron vert et le sucre et incorporez aux légumes coupés en tranches. Ajoutez la mayonnaise et la moutarde et remuez. Salez et poivrez. Retournez une dernière fois avant de servir.

SALADE DE POULET ET DE MANGUES

Si vous aimez le cheddar avec une pomme ou tout autre fruit, vous l'apprécierez certainement avec du poulet et de la mangue. La mayonnaise à l'orange et au gingembre (page 53) ajoute une délicieuse saveur et une texture agréable à cette symphonie de goûts.

Pour 4 personnes

- 450 g de mangues fraîches ou 350 g de mangues non sucrées, en boîte, coupées en gros morceaux
- 225 g de poulet cuit, coupé en dés
- 100 g de cheddar coupé en fines lamelles
- 75 g de céleri coupé en tranches
- 4 oignons printaniers

coupés finement (pour la salade et pour garnir)
- 1 1/2 tasse de mayonnaise au gingembre et à l'orange (page 32)
- 4 feuilles de salades différentes (trévise, feuille de chêne rouge, chicorée rouge de Vérone) rincées et coupées.

Dans un grand bol, mélangez la mangue, le poulet, le fromage, le céleri, les oignons printaniers et la mayonnaise à l'orange et au gingembre et remuez doucement. Recouvrez le fond des assiettes de feuilles de salade et garnissez-les avec le mélange. Parsemez d'oignons printaniers.

69

COUPE DE FRUITS DE LA PASSION

Cette recette a été créée par un des plus grands producteurs de fruits et de légumes tropicaux de la péninsule : J.R. Brooks & Son, de Homestead, en Floride.

Pour 4 personnes

- 4 pulpes de fruits de la Passion
- 1 banane en tranches
- 1 gros kiwi épluché, coupé en deux et chaque moitié coupée en tranches
- 2 cuil. à soupe de miel
- 1 tasse de raisin noir épépiné et coupés en deux
- Quelques gouttes de jus de citron vert

Mélangez les fruits avec le miel. Ajoutez quelques gouttes de jus de citron vert et servez.

70

Soupes,
potages et gaspachos

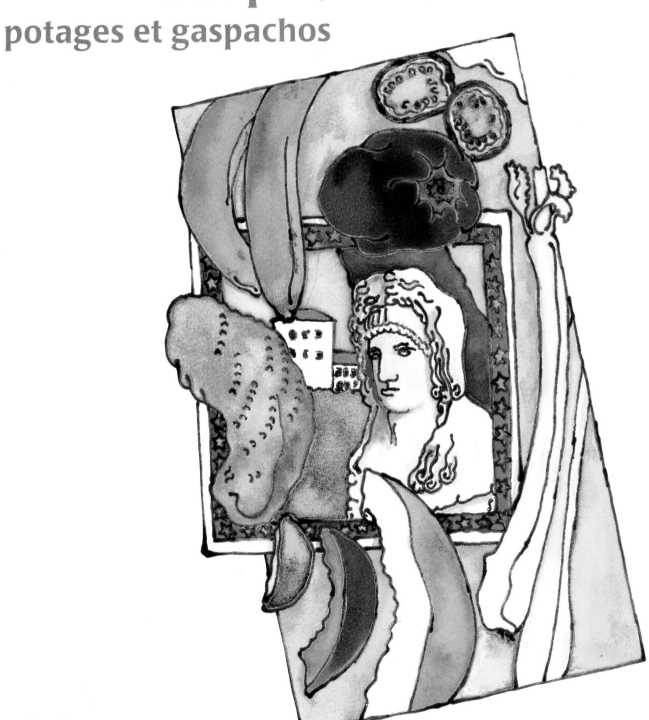

VICHYSSOISE DE CANNELLINIS ET DE MANIOC

Cette soupe traditionnelle originaire de Galicie est fort appréciée des Cubains. A l'origine, elle comprend des navets et des feuilles de moutarde. Dans cette nouvelle version, encore plus savoureuse, on ajoute du chorizo, du jambon, des petits morceaux de viande.

Pour 4 ou 6 personnes

- 4 cuil. à soupe d'huile d'olive
- 4 cuil. à café de vin blanc
- 4 gousses d'ail écrasées
- 2 cuil. à soupe de beurre ou de margarine
- 2 poireaux rincés et coupés en tranches
- 2 branches de céleri coupées en tranches
- 2 boîtes de 500 g de cannellinis, egouttés et rincés
- 450 g de manioc (ou de pommes de terre) epluché et coupé en morceaux de 5 cm
- 2 boîtes de 400 g de bouillon de poulet ou de bouillon cubes
- 2 cuil. à café de romarin frais haché
- 2 cuil. à café de thym frais haché
- 2 cuil. à café de sauge hachée
- 2 feuilles de laurier
- Sel et poivre blanc fraîchement moulu à volonté
- 2 cuil. à soupe de ciboulette coupée pour garnir (facultatif)

Faites chauffer 2 cuillerées à café d'huile d'olive et le vin blanc dans une petite casserole. Ajoutez l'ail et le faire revenir à feu doux pendant 10 mn environ.

Versez le reste de l'huile et le beurre dans une grande casserole. Faites revenir les poireaux et le céleri pendant 10 mn. Ajoutez les cannellinis et le manioc, le bouillon de poulet, les herbes et les feuilles de laurier. Incorporez le contenu de la petite casserole et laissez mijoter jusqu'à ce que le manioc soit ramolli, environ 30 mn. Enlevez les feuilles de laurier. Salez et poivrez à volonté. Passez ce mélange au mixeur. Garnissez de ciboulette et servez.

BISQUE DE HOMARD AU XÉRÈS

C'est une soupe riche et savoureuse. Vous pouvez remplacer le homard par de la lotte, qui est un peu moins chère mais dont le goût est semblable. Il est possible de réaliser ce plat avec toutes autres sortes de poisson à chair ferme tels que l'empereur rouge, le saumon, le poisson-chat ou la morue. Servez-le avec des petits pains croustillants et une belle salade verte, et votre succès sera assuré !

Pour 4 à 6 personnes

- 3 cuil. à soupe de beurre
- 10 à 12 branches de céleri coupé en morceaux
- 1 oignon haché
- 1/4 cuil. à café de thym séché
- 1/2 cuil. à café de flocons de piments rouges
- 1 cuil. à soupe de peau de citron coupées en fines lamelles
- 3 cuil. à soupe de farine avec levure incorporée
- 250 ml de bouillon de poulet
- 250 ml de lait
- 2 cuil. à soupe de xérès sec
- 450 g de homard ou de poisson à chair ferme
- Sel et poivre blanc fraîchement moulu
- 1 cuil. à soupe de poivrons rouges coupés en lamelles, comme garniture
- 1 pincée de paprika, comme garniture

Faites fondre le beurre dans une grande casserole. Ajoutez le céleri, l'oignon, le thym, le piment et la peau de citron. Faites cuire 20 mn environ, jusqu'à ce que les légumes ramollissent et remuez. Jetez la farine en pluie tout en continuant à remuer. Incorporez peu à peu le lait et le bouillon. Couvrez et portez à ébullition jusqu'à ce que le mélange épaississe, en remuant souvent. Ajoutez les fruits de mer ou le poisson, couvrez et laissez cuire environ 5 mn. Versez le xérès, salez et poivrez.
Garnissez avec les poivrons et le paprika.

73

GASPACHO BLANC

Pour 4 à 6 personnes

- 3 concombres épépinés, épluchés et coupés en morceaux
- 3 gousses d'ail, haché
- 750 ml de bouillon de poulet
- 2 cuil. à soupe de vinaigre doux ou de jus de citron vert
- 450 ml de babeurre
- 3 à 4 cuil. à soupe d'oignons printaniers hachés
- 1/4 d'aneth frais haché
- Fleurs de ciboulette pour garnir (facultatif)

Dans un grand bol, mélangez les concombres, l'ail, le bouillon, le vinaigre ou le jus de citron vert, le babeurre, les oignons printaniers et l'aneth. Couvrez et laissez refroidir au réfrigérateur pendant 24 heures.

Remuez le gaspacho et garnissez de fleurs de ciboulette avant de servir.

CI-DESSOUS : Miami au crépuscule

GASPACHO ROUGE

Si vous préférez la soupe un peu épaisse, je vous conseille de hacher les légumes avec un couteau et de ne pas utiliser de mixeur. Cela prend un peu plus de temps, mais vous pourrez ainsi présenter les légumes séparément et laisser vos invités choisir ceux qu'ils préfèrent. Servez ce gaspacho avec des chips de tortilla.

Pour 4 à 6 personnes

- 450 ml de jus de tomates
- 2 cuil. à soupe d'huile d'olive
- 3/4 de cuil. à café de piment en poudre
- 1/4 d'un gros oignon haché fin
- 1 petit concombre épluché, épépiné et coupé menu
- 2 petits poivrons rouges épépinés et coupés menu
- 3 tomates assez grosses, coupées finement
- 2 gousses d'ail, écrasé
- Sel et poivre gris fraîchement moulu

Dans un mixeur mélangez le jus de tomates, l'huile d'olive et le piment en poudre. (Laissez refroidir au réfrigérateur si vous voulez servir les légumes à part.)

Incorporez ce mélange aux légumes coupés. Laissez refroidir au réfrigérateur jusqu'au moment de servir. Salez et poivrez.

A DROITE
GASPACHO ROUGE

SOUPE DE POIS CASSÉS AU CHORIZO

Le chorizo ajoute une saveur épicée à cette soupe traditionnelle très appréciée.

Pour 4 à 6 personnes

- 675 g de chorizo, peau enlevée et coupé en fines tranches
- 1 oignon haché
- 1 branche de céleri finement coupé
- 2 gousses d'ail haché
- 450 g de pois cassés triés
- 1 l de bouillon de poulet (vous pouvez utiliser des bouillons cubes)
- 1 l d'eau
- 1/2 cuil. à café de thym séché
- 1 feuille de laurier
- 3 carottes, coupées en moitié puis en tranches
- Sel et poivre gris fraîchement moulu
- Croûtons pour garnir

Dans une casserole à fond épais, faites revenir les tranches de chorizo à feu doux, en remuant constamment puis posez-les sur un essuie-tout pour les sécher. Gardez une cuillerée d'huile dans la poêle, faites frire l'oignon et ajoutez le céleri et l'ail. Faites cuire à feu doux en remuant jusqu'à ce que le céleri soit ramolli. Ajoutez les pois cassés, le bouillon, l'eau, le thym et la feuille de laurier. Laissez mijoter, couvrez et remuez de temps en temps pendant 1 1/4 heure.

Ajoutez les carottes, couvrez et laissez à nouveau mijoter 30 à 35 mn jusqu'à ce que les carottes soient tendres. Otez le laurier, ajoutez le chorizo, salez et poivrez et servez la soupe avec des croûtons.

GASPACHO DE MANGUE

Le secret de ce potage rafraîchissant est l'eau de Seltz et les différents concentrés de jus de fruits qui ajoutent une saveur spéciale aux fruits tropicaux. Servez cette soupe dans des petits récipients placés au centre de grands bols remplis de glace pilée ou servez dans des verres givrés.

Pour 4 à 6 personnes

- 1 petite mangue épluchée et coupée en gros morceaux
- 3 carambales, 2 coupés en petits morceaux et 1 comme garniture
- 1/8 d'ananas de taille moyenne, épluché
- 125 ml de limonade ou de soda au citron vert
- 100 ml de jus ou de nectar d'abricot
- 2 cuil. à café de jus de citron vert
- 1 cuil. à café de concentré de jus d'ananas
- Menthe fraîche comme garniture (facultatif)

Passez la mangue, les caramboles et l'ananas au mixeur pour en faire une crème onctueuse. Tout en continuant à mixer, ajoutez le soda, le jus ou le nectar d'abricot, le jus de citron vert et le concentré de jus d'ananas. Couvrez et placez au réfrigérateur avant de servir.

Posez une tranche de carambole en forme d'étoile comme garniture et quelques feuilles de menthe, selon votre goût.

SOUPE DE HARICOTS NOIRS

Les soupes de haricots noirs ont chacune leurs propres caractéristiques. Pour cette recette, je me suis inspirée d'une spécialité à base de manioc créée par le chef du «Yuca», un restaurant très connu de Coral Gables, en Floride. «Yuca» signifie «manioc», un tubercule tropical qui est la base de la nourriture des Caraïbes. Mais c'est aussi l'acronyme de «Young Upscale Cuban-Americans» qui se réfère aux «jeunes cubano-américains ayant réussi».

Ce velouté d'une consistance épaisse est un plat complet lorsqu'on le sert avec une salade et du pain à l'ail. On peut l'accompagner de croquettes de riz aux herbes (page 108) et le garnir d'une cuillerée de crème fraîche et de quelques oignons printaniers hachés.

4 à 6 personnes

- 450 g de haricots noirs secs
- 3 l d'eau
- 2 feuilles de laurier
- 125 ml d'huile d'olive
- 1 gros poivron rouge épépiné et coupé en dés
- 1 gros poivron vert épépiné et coupé en dés
- 3 petites échalotes coupées en dés
- 1 1/2 cuil. à soupe de sucre
- 2 cuil. à soupe de persil et de coriandre hachés
- 575 g de mojito (page 40)

Faites trempez les haricots dans un récipient à fond épais, rempli d'eau pendant 24 heures.

Ajoutez les feuilles de laurier et portez à ébullition puis faites cuire à feu doux sans couvercle pendant 3 ou 4 heures, jusqu'à ce que les haricots soient tendres. Remuez de temps en temps et ajoutez de l'eau si c'est nécessaire.

Faites chauffer une grande casserole à fond épais. Versez l'huile d'olive et faites revenir les poivrons rouges, les poivrons verts et les échalotes. Laissez cuire puis ajoutez le sucre et le persil (ou la coriandre). Otez les feuilles de laurier et versez les légumes frits dans la soupe ainsi que le mojito avant de servir.

CI-DESSOUS: Les couleurs vives et le style Art Déco que l'on trouve à Key West sont caractéristiques de l'architecture de la Floride.

Poissons et
Fruits de mer

CROQUETTES DE CRABE

Rien de meilleur que ces petites croquettes épicées que l'on plonge dans l'aïoli (page 32), dans la sauce au citron vert et au poivre (page 33) ou dans la moutarde aux mangues (page 37). En été, servez-les avec une salade, du maïs ou de la salsa aux haricots noirs et aux caramboles (page 27). En hiver, savourez-les avec le maïs cubano (page 107).

Pour 4 personnes

- 450 g de crabe en morceaux
- 5 crackers à émietter dans le mixeur
- 2 œufs battus
- 1/2 tasse de persil finement haché
- 1 cuil. à café de sauce Worcestershire
- 2 à 3 cuil. à soupe de mayonnaise et/ou de moutarde
- Huile végétale à frire
- Beurre clarifié ou huile végétale pour la friture
- Sel et poivre fraîchement moulu à volonté

Dégagez la chair du crabe de sa carapace. Mélangez vigoureusement tous les ingrédients sauf le beurre et l'huile avec une fourchette. Laissez reposer au réfrigérateur pendant une heure puis façonnez cette pâte en petites galettes rondes.

Passez une couche de beurre clarifié au fond d'une poêle assez grande pour contenir 4 galettes. Faites-les dorer de chaque côté et posez-les sur un essuie-tout. Servez sans attendre. Vous pouvez aussi les plonger dans l'huile d'une friteuse à 160° et les laisser dorer. Ne mettez pas trop de pâte et submergez-les lorsqu'elles restent à la surface. Avec une écumoire, sortez les croquettes de la friture et posez sur un essuie-tout. Servez immédiatement.

PÂTES AUX FRUITS DE MER

Les pâtes ont toujours beaucoup de succès et les Cubains de Miami les apprécient tout autant que les Italiens. Cette recette vient de Shells, une chaîne de restaurants de fruits de mer de South Florida. Servez ce plat avec une salade verte et terminez le repas par une tourte au citron vert (page 14). Vous vous croirez en Floride !

Pâtes
- 450 g de tagliatelles
- 2 cuil. à café de beurre

Fruits de mer
- 100 g de moules sans coquilles
- 175 g de palourdes hachées, cuites et égouttées
- 275 g de coquilles St-Jacques crues
- 350 g de crevettes crues décortiquées

Sauce
- 125 ml d'huile d'olive
- 125 ml de vin blanc sec
- 8 gousses d'ail finement haché
- Sel et poivre blanc fraîchement moulu à volonté
- Un peu de sauce de soja
- 450 ml et 2 cuil. à soupe de crème fraîche épaisse

Faites bouillir de l'eau salée dans une grande casserole, ajoutez le beurre et plongez les pâtes. Lorsqu'elles sont al dente, égouttez-les dans une passoire et mettez-les sur un plat.

Pour faire la sauce, mélangez l'huile d'olive, le vin, l'ail, le sel et le poivre, la sauce de soja et la crème fraîche épaisse dans une grande casserole. Portez à ébullition en remuant.

Ajoutez les fruits de mer puis les pâtes. Remuez doucement et faites cuire environ 10 minutes à feu moyen, jusqu'à ce que les fruits de mer soient cuits et que le plat ait une consistance crémeuse. Servez sans attendre.

PETITS CONSEILS POUR CHOISIR VOS FRUITS DE MER ET VOS POISSONS

Trois mots clefs : sentir, regarder et toucher. Le poisson ne doit pas sentir l'ammoniaque. Les filets ne doivent être ni bruns ni desséchés. Si vous achetez un poisson entier, appuyez sur son flanc. La chair doit être élastique et ferme. Pour les palourdes, les huîtres et les moules : elles doivent se refermer hermétiquement lorsque vous les tapotez.

BROCHETTES DE GAMBAS ET DE MANGUES AU MOJITO

Ce plat représente le multiculturalisme qui s'étend de Cuba à la côte Pacifique.

Plongez les brochettes dans la salsa de papaye et de mangue (page 28), vous apprécierez leur goût exotique et varié.

- 275 g de mojito (page 40)
- 1 cuil. à café de paprika
- 1 cuil. à café de piment en poudre
- 1 cuil. à soupe de mélasse
- 3 grosses mangues un peu vertes, dénoyautées et épluchées ou 3 tomates vertes pelées et épépinées
- 2 gros oignons
- 36 gambas crues, (soit 900g de crevettes décortiquées).
- Sel et poivre gris fraîchement moulu.

Dans une petite casserole, mélangez le mojito, le paprika, le piment en poudre et la mélasse. Portez à ébullition, puis laissez cuire pendant 5 mn à feu doux. Enlevez et laissez reposer.

Coupez les mangues ou les tomates et les oignons en gros morceaux d'environ 5 cm de diamètre. Enfilez les morceaux en alternant avec les crevettes. Préparez la braise pour votre barbecue.

Enduisez la grille avec de l'huile avant de poser les brochettes afin qu'elles n'attachent pas. Faites cuire jusqu'à ce que les crevettes ne soient plus translucides (3 à 4 minutes environ, de chaque côté). Badigeonnez les brochettes pour les glacer, avec une bonne quantité de sauce. Retirez du feu lorsque le glaçage est visible et servez aussitôt.

GAMBAS AUX AGRUMES ET AU GINGEMBRE, AUX CARAMBOLES ET AU RHUM

C'est un plat créé par Allen Susser, le propriétaire du grand restaurant Chef Allen's à Miami.

Si vous n'aimez pas le goût du rhum, vous pouvez le remplacer par du jus de citron vert. Accompagnez ce plat de beignets de manioc ou de tranches de bananes plantain au Brie (page 112).

Pour 4 personnes

- Zeste râpé et jus de 2 citrons
- Zeste râpé et jus de 2 citrons verts
- 1 piment jalapeño épépiné et coupé en dés
- 1 cuil. à soupe de grains de poivre blanc pilés
- 1 cuil. à soupe de gros sel
- 2 cuil. à soupe de sucre brun
- 2 cuil. à soupe d'huile d'olive
- 12 gambas décortiquées, nettoyées
- 2 caramboles coupés en tranches
- 2 cuil. à café de gingembre frais coupé en tranches
- 4 cuil. à soupe de rhum ou de jus de citron

Mélangez le citron vert, le zeste de citron, le piment et le poivre et laissez reposer. Dans une petite casserole, faites cuire les jus de citron et de citron vert, le sucre brun et réduisez jusqu'à obtenir à peu près trois cuillerées à soupe de jus. Ajoutez le sel et les zestes. Faites cuire 1 minute et enlevez du feu. Versez 1 cuillerée à soupe d'huile d'olive et laissez refroidir.

Enduisez les gambas de cette sauce et faites-les cuire 1 mn dans de l'huile d'olive chaude. Ajoutez le carambole, le gingembre, le rhum (ou le jus de citron vert). Retournez les ingrédients avec une spatule pendant quelques secondes avant de servir.

POMPANO AU CITRON
SUR UN LIT D'ÉPINARDS ET DE POIREAUX

Le pompano est un poisson de Floride très raffiné et assez rare, même dans son pays d'origine. Vous pouvez le remplacer par un poisson plat à chair blanche et ferme ou par des coquilles St-Jacques. Cette recette quelque peu orientale accompagne très bien le riz au jasmin et au gingembre (page 118), les chayottes et les carottes sautées au beurre aromatisé (page 114) et les coupes de fruits de la Passion (page 70).

Pour 4 personnes

- Un petit citron coupé en tranches fines
- Un petit citron vert coupé en tranches fines
- 6 feuilles de laurier
- 375 ml d'eau
- 1 gros poireau coupé en deux, tranché finement et rincé
- 450 g d'épinards ou de bettes dont on a enlevé les côtes
- 225 g de filet de pompano ou autres poissons (voir ci-dessus)
- 1 cuil. à café de sauce soja
- Poivre gris fraîchement moulu

Mettez le citron, le citron vert et les feuilles de laurier dans l'eau, couvrez le cuit-vapeur et laissez mijoter pendant 2 minutes à feu doux puis portez à ébullition. Etalez les poireaux dans le fond du panier. Couvrez et faites cuire à la vapeur pendant 3 minutes, jusqu'à ce qu'ils soient tendres. Otez le couvercle et ajoutez les épinards, couvrez à nouveau et laisser cuire environ 4 minutes, en remuant une fois. Posez le panier sur l'évier, pressez les légumes pour en extraire l'eau le plus possible et mettez-les dans un grand poêlon.
Portez à nouveau à ébullition le laurier et les citrons. Posez les filets de poisson dans le panier, couvrez et faites cuire à la vapeur pendant 3 ou 4 minutes, jusqu'à ce que le poisson se détache facilement, vérifiez avec un couteau. Réchauffez les épinards et les poireaux à feu vif en arrosant de sauce soja et en remuant, environ 1 minute.
Pour servir, disposez les épinards et le poisson sur des assiettes chaudes. Salez et poivrez à volonté.

83

THON GRILLÉ À LA CORIANDRE ET AU CITRON VERT

Cette recette vous permet d'accommoder un poisson que tout le monde apprécie. Servez-le avec des pâtes au citron vert et au poivre (page 110) et terminez le repas avec une coupe de fruits de la passion (page 70).

Pour 4 personnes

- 4 cuil. à soupe d'huile d'olive
- 3 cuil. à soupe de jus de citron vert
- 15 g de coriandre haché
- 1/2 cuil. à café de sel
- 1/4 de cuil. à café de poivre fraîchement moulu
- 900 g de thon coupé en tranches
- Un peu d'huile pour le gril

Dans un plat en verre allant au four, faites mariner le thon dans l'huile, le jus de citron vert, la coriandre, le sel et le poivre. Couvrez avec un scello frais et mettez au réfrigérateur pendant une heure en retournant une fois.

Allumez le gril à l'avance. Huilez légèrement la grille et placez-y les tranches de thon à 15 cm de la source de chaleur, laissez cuire 3 ou 4 minutes. Badigeonnez avec la marinade, retournez les tranches de thon et faites griller 3 ou 4 minutes ou jusqu'à ce que la chair se détache facilement avec une fourchette.

CI-DESSOUS : «Poisson Frais » à Miami, cela signifie qu'il a été pêché seulement quelques heures plus tôt.

SOLE AUX NOIX DE PÉCAN

Vous pouvez choisir de ne pas arroser ce plat de sauce au beurre, mais de lui préférer le mojito (page 40), l'aïoli (page 32) ou la crème de mangue sucrée et piquante (page 34). Toutes ces suggestions sont aussi succulentes les unes que les autres. Vous pouvez aussi opter pour une touche de cuisine traditionnelle du sud des Etats-Unis en le servant avec une salade chaude de patates douces, de carottes, d'ananas, d'oranges, de noix de pécan et de noix de coco (page 109).

Pour 4 personnes

- Sel et poivre fraîchement moulu à volonté
- 8 petits filets de sole de 225 g, sans la peau
- 1 gros œuf
- 3 cuil. à soupe d'eau
- 2 cuil. à café de sauce au soja bien brune
- 75 g de noix de pécan, finement pilées
- 3 cuil. à soupe d'huile végétale
- 2 cuil. à soupe d'huile d'olive (facultatif)
- 3 cuil. à soupe de coriandre fraîche ou de persil comme garniture (facultatif)
- 2 cuil. à soupe de bûche de beurre Tango-Mango, de beurre ou de margarine (facultatif)
- 1 cuil. à soupe de jus de citron vert (facultatif)

Salez et poivrez les deux côtés des filets. Battez l'œuf, l'eau et la sauce de soja dans un grand bol. Plongez les filets, un par un, dans le mélange à l'œuf puis passez-le dans les noix pilées. Dans une grande poêle à revêtement anti-adhésif, faites dorer autant de filets que vous pouvez en mettre dans 1 cuillerée à soupe d'huile végétale pendant environ 2 minutes. Ajoutez un peu plus d'huile si nécessaire. Garnissez et servez les filets.

Si vous voulez arroser ces filets de beurre Tango-Mango, disposez-les d'abord sur un plat préalablement chauffé et essuyez la poêle avec un essuie-tout. Ajoutez-y le reste d'huile d'olive et de beurre Tango-Mango, de beurre ou de margarine. Faites légèrement roussir le beurre, ajoutez le jus de citron vert, remuez une fois et versez sur le poisson, garnissez et servez.

A DROITE :
SOLE AUX NOIX DE PÉCAN

ESPADON AU MOJITO

C'est un plat très rapide à cuisiner. Servez-le avec de la salade d'ananas, de noix de coco et de piment (page 31) et du riz au jasmin et au gingembre (page 118). Terminez le repas par les chiquitas au rhum. (page 120)

Pour 4 personnes

- 200 g de mojito (page 40)
- 1 cuil. à soupe de gingembre moulu
- 5 cuil. à soupe de vin de Madère
- 4 tranches d'espadon de 100 à 175 g chacune.

Dans une assiette creuse mélangez le mojito, le gingembre et le madère. Faites-y mariner le poisson pendant 24 heures.

Le lendemain, faites cuire le poisson au gril ou au barbecue pendant environ 7 minutes jusqu'à ce qu'il se détache facilement lorsque vous le piquez avec un couteau. Badigeonnez-le une fois ou deux pendant la cuisson avec le restant de la marinade.

Servez immédiatement.

UN MOYEN FACILE POUR VÉRIFIER VOTRE BARBECUE

Si vous n'avez pas de thermomètre pour évaluer la température de vos braises, placez la main au-dessus de la grille. Si vous supportez la chaleur pendant 3 ou 4 secondes, le feu est moyen.

EMPEREUR ROUGE AUX AGRUMES

L'empereur rouge est un autre poisson très apprécié en Floride. Vous pouvez le remplacer par un poisson à chair blanche et ferme. Voici une recette assez classique mais les agrumes lui donnent son originalité. Servez-le avec du riz au jasmin et au gingembre (page 118) et terminez par la coupe aux fruits de la Passion (page 70).

Pour 4 personnes

- 1 cuil. à soupe d'huile d'olive
- 2 échalotes, hachées ou le blanc de 4 oignons printaniers coupés en fines tranches
- 225 g de champignons frais coupés en tranches fines
- 125 ml de jus d'oranges pressées
- 125 ml de jus de palourdes en boîte
- 1/2 cuil. à café de sel
- Poivre gris fraîchement moulu
- Filets d'empereur rouge, de perche, de turbot ou de sole de 100 g chacun
- 3 cuil. à soupe rase de persil frais

Faites chauffer l'huile dans une grande poêle à frire. Ajoutez les échalotes et faites cuire pendant 1 minute jusqu'à ce qu'elles soient tendres. Ajoutez les champignons et faites cuire 1 minute de plus pour les ramollir un peu. Versez les jus de fruit et portez à ébullition. Couvrez et laissez mijoter jusqu'à ce que les champignons soient bien tendres, de 5 à 7 minutes. Otez le couvercle et portez à ébullition à feu vif pour réduire la sauce et l'épaissir pendant à peu près 5 minutes. Salez avec la moitié du sel et poivrez à volonté.

Mettez les filets de poisson sur les champignons. Salez et poivrez à volonté. Couvrez et faites cuire à feu moyen de 6 à 8 minutes, jusqu'à ce qu'ils prennent une teinte opaque au centre. Vérifiez avec la pointe d'un couteau que la chair se défait aisément. (Vous pouvez aussi les mettre au four, thermostat 4 180°, dans un plat couvert, pendant 15 minutes.) Parsemez le poisson de persil et servez sans attendre.

SOLE PANÉE CUITE AU FOUR

Ce poisson semble être frit mais, en réalité, il est cuit au four. Vous pouvez le servir avec la salsa d'avocats et de tomates cerises (page 29), ou à la façon cubaine, avec le mojito (page 40). On peut aussi le présenter avec de l'aïoli (page 32) ou de la crème de mangue sucrée et piquante (page 34) et accompagné de salade verte. Servez-le après une soupe de haricots noirs (page 34) et terminez le repas avec une tarte au citron vert (page 123)

Pour 4 personnes

- 450 g de filets de sole
- Huile végétale
- 50 g de chapelure
- 1/2 cuil. à café de paprika
- 1/4 cuil. à café de poudre d'oignon
- 1/4 cuil. à café de thym séché
- 1 blanc d'œuf
- 1 cuil. à soupe d'huile d'olive

Allumez le four, thermostat 8 (230°). Coupez le poisson en 4 morceaux. Recouvrez un plat allant au four avec du papier aluminium (pour le nettoyer plus facilement). Mélangez la chapelure et les condiments. Battez le blanc d'œuf avec une fourchette dans un petit bol.

Plongez le poisson dans l'œuf, puis dans la chapelure et enfin dans la poêle. Arrosez-le de quelques gouttes d'huile d'olive. Passez au four environ 10 minutes, jusqu'à ce que le poisson soit opaque au centre et que la chair se défasse aisément avec la pointe du couteau.

A DROITE
FILET AU BEURRE TANGO-MANGO

FILET D'EMPEREUR ROUGE AU BEURRE TANGO-MANGO

Présentez ce poisson sur un lit de crème de mangue (page 34) et versez une cuillère de salade d'ananas, de noix de coco et de piment (page 31). Servez-le avec de la salade verte. Vous pouvez remplacer l'empereur par un poisson à chair blanche et ferme comme la perche, le turbot ou la sole.

Pour 4 personnes

- 4 filets d'empereur de 175 g à 225 g chacun
- Farine à gâteaux (avec levure incorporée)
- Sel et poivre blanc fraîchement moulu
- 1 bûche de beurre Tango-Mango (page 49)

Faites fondre le beurre Tango-Mango dans une poêle. Passez les filets de poisson dans la farine, salez et poivrez à volonté et faites-les dorer de chaque côté.

CROQUETTES DE CREVETTES

Voici une autre recette d'Allen Susser, le propriétaire du restaurant Chef Allen's, à Miami. Susser présente ces croquettes de crevettes sur des petites crêpes de pommes de terre et les entoure d'une sauce moutarde très relevée. Vous pouvez aussi les présenter sur des croquettes de bananes plantain et de pommes (page 114) et les garnir de crème de mangue sucrée et piquante (page 34) ou de moutarde de mangue (page 37).

Pour 4 personnes

- 225 g de crevettes crues coupées en morceaux de 1 cm
- 1 tomate ronde pelée, épépinée et coupée en dés
- 3 cuil. à soupe de ciboulette fraîche coupée
- 1 cuil. à soupe de basilic frais coupé
- 1 cuil. à soupe de brandy
- 2 cuil. à café de Maïzena
- 1/2 cuil. à café de poivre de Cayenne
- 1 grosse pomme de terre ou 2 moyennes, cuites, épluchées et râpées
- 3 blancs d'œuf, bien battus
- 1 gousse d'ail
- Crème de mangue sucrée et piquante (page 34) ou moutarde de mangue (page 37) (facultatif)

Dans un grand bol, mélangez soigneusement les crevettes, la tomate, la ciboulette, le basilic, le brandy, la Maïzena et le poivre de Cayenne. Incorporez les pommes de terre râpées. Ajoutez les blancs d'œuf en remuant puis laissez reposer le mélange pendant 10 minutes.

Versez de l'huile d'olive dans une grande casserole à une hauteur de 5 cm. Plongez la gousse d'ail et faites chauffer l'huile à feu vif pendant 30 secondes, puis retirez l'ail. Réduisez le feu légèrement et lorsque l'huile commence à frémir, plongez une grosse cuillerée à dessert de mélange de crevettes dans le poêlon. Aplatissez avec le dos d'une cuillère pour en faire une petite galette d'environ 6 cm de diamètre. Formez 4 galettes, retournez-les une fois avec une spatule jusqu'à ce qu'elles soient croustillantes et dorées. Lorsque les crevettes deviennent roses, soit 2 à 3 minutes par côté, sortez-les avec précaution, elles sont très fragiles, et posez-les sur un essuie-tout pour ôter un peu d'huile. A l'aide d'une écumoire, tamisez l'huile et ajoutez-en si cela est nécessaire. Lorsque l'huile frémit à nouveau, plongez-y le reste des croquettes.

A DROITE : A Miami, la pêche en haute mer est à la fois une activité commerciale et un sport.

EMPEREUR ROUGE AUX AMANDES

Il est facile de présenter un joli plat d'empereur rouge car c'est un poisson décoratif. Vous pouvez le servir avec de la salade verte et du riz au jasmin et au gingembre (page 118).

Pour 4 personnes

- 1 cuil. à soupe d'huile d'olive
- 6 filets d'empereur rouge de 1 cm d'épaisseur
- 2 cuil. à soupe de beurre clarifié (voir encadré)
- 1 cuil. à café de thym frais haché
- 1/8 de cuil. à café de poivre gris fraîchement moulu

- 1/4 de cuil. à café de sel
- 175 g de salsa de papaye et de mangue (page 28) comme garniture (facultatif)
- 50 g plus 1 cuil. à soupe de graines de courge grillées ou d'amandes effilées comme garniture

Allumez le four, thermostat 9 (260°). Huilez un plat allant au four avec une cuillerée d'huile d'olive et posez les filets. Badigeonnez-les avec 2 cuillerées de beurre clarifié puis assaisonnez de thym, de poivre et de sel. Laissez au four 4 minutes.

Disposez une cuillerée de salsa au centre des assiettes préalablement chauffées. A l'aide d'une grande spatule, placez les filets sur la salsa et parsemez de graines de courge ou d'amandes effilées.

A PROPOS DU BEURRE CLARIFIÉ

Il porte différents noms mais on utilise toujours le même procédé pour le faire. Il s'agit de beurre dont on a enlevé les particules de lait afin qu'il puisse être chauffé à haute température sans brûler.

Faites chauffer à feu doux un peu de beurre dans une casserole à fond épais. Lorsque le beurre fond, les particules solides restent à la surface. Transvasez dans un verre gradué. Au bout de quelques minutes, ces particules tombent au fond du verre. Versez lentement la couche liquide jaune clair dans un bocal muni d'un couvercle. Vous pourrez garder ce beurre clarifié pendant plusieurs semaines au réfrigérateur et même le congeler.

LOTTE DANS DES FEUILLES DE BANANIER

Le secret de ce plat réside dans la feuille de bananier qui lui garde son humidité et lui donne son caractère exotique. Servez-le avec la sauce au citron vert et au poivre (page 33), le riz au curry et aux amandes (page 117) et la crème brûlée catalane (page 121).

Pour 4 personnes

- 2 cuil. à soupe d'huile d'olive
- 1/2 cuil. à café de paprika
- 1/4 de cuil. à café de poivre gris fraîchement moulu
- 450 g de filet de lotte coupé en 26 cubes de 2,5 cm
- 2 ou 3 feuilles de bananier ou 1/2 boîte de 450 g de feuilles de vigne rincées

Mélangez l'huile d'olive, le paprika et le poivre. Passez les cubes de lotte dans le mélange pour les imbiber, couvrez et laissez au réfrigérateur pendant quelques heures ou toute la nuit.

Si vous utilisez les feuilles de vigne, égouttez-les et séchez-les avec un essuie-tout. Badigeonnez les feuilles de bananier ou de vigne avec de l'huile. Coupez-les en lamelles de 1,5 cm de largeur. Enveloppez chaque morceau de lotte dans une feuille et glissez un seul petit paquet par brochette.

Huilez la grille du barbecue, posez-y les brochettes faites cuire 2 minutes de chaque côté. Couvrez le fond d'un plat creux de lamelles de feuilles de bananier entrelacées. Si vous utilisez des feuilles de vigne, posez-les les unes sur les autres en les faisant chevaucher.

FAJITAS DE SAUMON DANS DES FEUILLES DE ROMAINE

Ce plat est bien présenté et il est facile à manger lors d'un cocktail ou d'un barbecue. Servez-le avec des brochettes d'oignons et de tomates et de la sauce au citron vert et au poivre (page 33).

Pour 4 personnes

- 225 g de mojito (page 19)
- 450 g de filets de saumon de même épaisseur, coupés en 4 morceaux
- 2 cuil. à soupe d'huile d'olive
- Zeste d'un citron vert râpé
- 1/4 de cuil. à café de poivre de Cayenne
- 4 grosses feuilles de trévise, rincées, séchées et sans leur côte

Versez le mojito sur le saumon et faites-le mariner 15 minutes en retournant les morceaux de saumon à quelques minutes d'intervalle.

Posez les feuilles de salade au milieu de quatre carrés de papier aluminium assez grands pour envelopper le saumon. Enlevez un par un les morceaux de saumon de la marinade et posez-les sur les feuilles de salade. Pliez les côtés opposés de chaque carré d'aluminium sur la feuille de salade et fermez hermétiquement. Mettez ces petits paquets sur le barbecue.

Faites cuire jusqu'à ce que le saumon se défasse avec la pointe du couteau, de 15 à 18 minutes. Ouvrez les paquets en prenant soin de ne pas vous brûler à la vapeur. Servez le saumon dans son enveloppe. (On peut aussi les faire cuire au four, thermostat 6 (200°) pendant 15 ou 20 minutes.)

CONSEIL DE CUISSON DU POISSON ET DES FRUITS DE MER

Mesurez l'épaisseur du poisson où il est le plus épais. On compte 4 minutes de cuisson par centimètre d'épaisseur. Comptez deux fois plus de temps si le poisson est surgelé. Avec la pointe du couteau soulevez un peu de chair où le filet est le plus épais. Le poisson est prêt lorsqu'il devient opaque et se défait facilement.

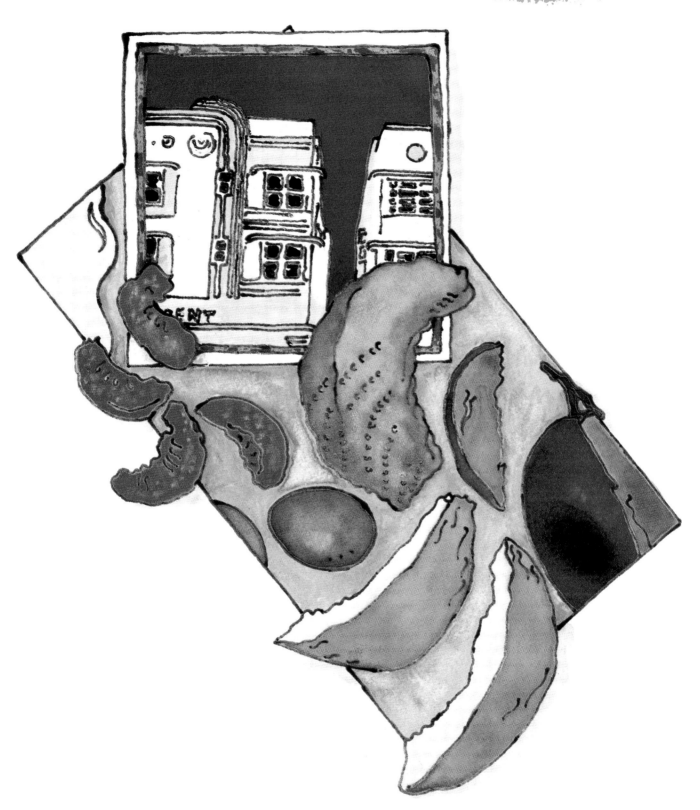

Volailles

POULET PANÉ AUX NOIX DE PÉCAN

Pour lui donner sa couleur, servez ce poulet avec des patates douces ou des ignames et du chou à la mayonnaise et au pamplemousse (page 68). Garnissez-le avec des tranches de pamplemousse et quelques feuilles de menthe ou de basilic.

Pour 4 personnes

- 500 ml de lait
- 4 cuil. à soupe de poivre de Cayenne
- 4 blancs de poulet sans la peau, dégraissés et aplatis
- 1 cuil. à café de sel
- 2 cuil. à café de poivre gris fraîchement moulu
- 450 g de semoule de maïs
- 4 blancs d'œuf, battus légèrement

- 225 g de noix de pécan, hachées grossièrement
- 4 cuil. à soupe de beurre clarifié (page 91)
- 4 cuil. à soupe d'huile de maïs
- Quelques tranches de pamplemousse comme garniture (facultatif)
- Basilic frais ou feuilles de menthe comme garniture (facultatif)

Allumez le four, thermostat 6 (200°). Mélangez le lait et le poivre de Cayenne. Aplatissez les blancs de poulet entre des feuilles de papier sulfurisé et faites-les mariner dans le lait pendant 10 mn.

Mélangez la semoule de maïs, le sel et le poivre. Enlevez les morceaux de poulet du lait et roulez-les dans la semoule de maïs, puis dans le blanc d'œuf et enfin dans les noix de pécan. Faites fondre le beurre dans un poêlon et ajoutez de l'huile. Faites dorer les blancs de poulet très rapidement de chaque côté, environ 2 1/2 minutes en tout. Placez-les ensuite sur le plat et enfournez pendant 6 ou 7 minutes pour terminer la cuisson. Servez sans attendre, garnissez avec les tranches de pamplemousse, le basilic et la menthe selon vos goûts.

MORCEAUX DE POULET AU CITRON VERT CUITS AU FOUR

Les accompagnements tels que la salsa aux caramboles et aux haricots noirs (page 27), la soupe aux haricots noirs (page 78) sont indispensables pour agrémenter ce plat. On peut aussi présenter ces morceaux de poulet sur un lit de purée aux haricots noirs (page 31). Ajoutez un peu de riz vapeur et du chou à la mayonnaise et au pamplemousse (page 68) et garnissez de ciboulette coupée finement.

Pour 4 personnes

- 4 morceaux de poulet
- 4 brins de thym frais
- 1 feuille de laurier
- 140 g de mojito (page 40)
- 2 cuil. à soupe de bûche de beurre au citron vert et à la ciboulette (page 46), de beurre ou de margarine

- 50 g de farine levure incorporée
- 1 cuil. à café de sel
- 1/2 cuil. à café de poivre gris fraîchement moulu
- Ciboulette coupée finement (facultatif)

Mettez le thym et la feuille de laurier dans le mojito. Faites mariner le poulet dans ce mélange de 2 à 24 heures.

Allumez le four, thermostat 4 (280°). Dans une casserole, faites fondre le beurre de citron vert et de ciboulette, le beurre ou la margarine.

Sortez un par un les morceaux de poulet de la marinade et passez-les dans un mélange de farine, de sel et de poivre. Placez-les sur un plat beurré allant au four, arrosez de beurre fondu et faites dorer au four pendant 50 à 55 minutes.

A DROITE
MORCEAUX DE POULET AU CITRON VERT

BLANCS DE POULET GRILLÉS AU CITRON VERT

Quelques lamelles de poivron rouge cuit au barbecue ajouteront de la couleur à ce plat tout simple. Vous pouvez aussi le servir avec le chutney aux poivrons (page 43), les pâtes au poivre et au citron (page 110) et les chayottes et carottes sautées, au beurre aromatisé (page 114).

Pour 4 personnes

- 4 blancs de poulet dégraissés, coupés en moitiés et aplatis
- 5 cuil. à soupe d'huile d'olive
- Jus de trois citrons verts
- 4 gousses d'ail haché
- 3 cuil. à soupe de coriandre fraîche, hachée
- 1 1/2 cuil. à café de sel
- 1 1/2 cuil. à café de poivre gris fraîchement moulu

Aplatir le poulet dans une feuille de papier sulfurisé. Dans un bol, mélangez l'huile d'olive, le jus de citron vert, l'ail, 2 cuillerées à soupe de coriandre, le sel et le poivre. Versez sur le poulet et laissez mariner au moins 1 heure.

Passez les blancs de poulet au gril ou au barbecue 2 minutes de chaque côté. Disposez sur un plat, parsemez avec le reste de la coriandre et servez immédiatement.

POULET
À LA CRÈME

Ce plat a un bon goût de crème fraîche mais vous pouvez aussi utilisez de la crème allégée. Vous pouvez le servir avec de la soupe de mangue (page 77), des croquettes de bananes plantain et de pommes (page 114) et une coupe de fruit de la Passion (page 70).

Pour 4 personnes

- 2 cuil. à soupe d'huile végétale
- 2 cuil. à soupe de beurre au jus de citron vert et à la ciboulette (page 44), de beurre ou de margarine
- 4 blancs de poulet, sans peau et dégraissés

- 375 g de bouillon de poulet, ou de bouillon cube
- 1 cuil. à café de feuilles de thym
- 1 tasse de crème fraîche ou de crème allégée
- 1/2 cuil. à café de Maïzena
- 140 g de mojito (page 40)

Faites chauffer l'huile et le beurre à feu moyen, dans une grande poêle. Faites dorer les blancs de poulet environ 2 minutes de chaque côté. Ajoutez le bouillon de poulet et le thym et portez à ébullition. Couvrez et faites cuire à feu doux pendant 15 minutes. Lorsqu'il est cuit disposez-le sur une assiette chaude.

Dans un petit bol, mélangez la crème fraîche et la Maïzena. Ajoutez le mojito et mélangez bien. Versez dans la poêle. Laissez mijoter 2 minutes en remuant de temps en temps jusqu'à ce que la sauce épaississe. Versez sur le poulet et servez sans attendre.

POULET POCHÉ AU MELON

Ce plat original et rafraîchissant fait beaucoup d'effet lorsqu'il est servi dans des assiettes en verre glacées. On peut l'accompagner de riz sauvage ou de riz au jasmin et au gingembre (page 118) et d'asperges arrosées de vinaigrette au curry et au citron vert (page 39).

Pour 4 personnes

- 375 ml de bouillon de poulet
- 4 blancs de poulet désossé, sans peau et dégraissé
- 3 cuil. à soupe de vinaigre de vin rouge
- 1 cuil. à soupe de sucre brun
- 2 gousses d'ail haché
- 1 cuil. à café de gingembre frais haché
- 1 cuil. à café de moutarde
- 75 g de mangue coupée en dés
- 50 g de boules de melon de Cavaillon
- 50 g de boules de cantaloup
- Ciboulette fraîche coupée comme garniture (facultatif)

Dans une poêle de taille moyenne, portez à ébullition le bouillon de poulet et faire cuire à feu doux. Plongez-y les blancs de poulet, couvrez et laissez mijoter de 8 à 10 minutes. A l'aide d'une spatule enlevez-les du poêlon. Laissez refroidir, couvrez et mettez au réfrigérateur pendant 2 heures.

Faites réduire le bouillon pour en obtenir 125 ml. Versez-y les autres ingrédients (sauf les boulettes de melon et de cantaloup) et faites cuire en remuant toutes les 5 minutes. Plongez ensuite les boules de melon, de cantaloup et les morceaux de mangue pour les enrober. Placez au réfrigérateur pendant 2 heures. Garnissez de ciboulette et servez.

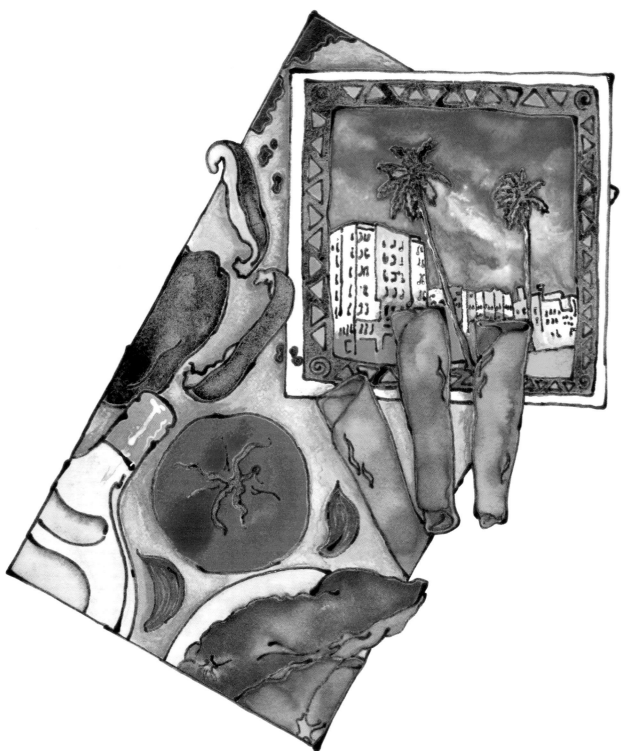

Viandes

BOLICHE (BŒUF À LA COCOTTE CUBAIN)

S'il existe un bœuf à la cocotte que l'on peut considérer comme un plat de gourmet, c'est bien la boliche. Parmi toutes les recettes que j'ai expérimentées celle-ci présente quelques innovations typiques de la Nouvelle Cuisine cubaine, en particulier le sésame qui contribue à lier les sauces. Il peut être servi avec de la purée de pommes de terre à l'ail, ou des fèves à la salsa de champignons et d'agrumes (page 30). La crème brûlée catalane (page 121) est un très bon dessert pour terminer ce repas très consistant.

Pour 4 à 6 personnes

- 1,3 kg de gîte à la noix
- 275 g plus 2 cuil. à soupe de mojito (page 40)
- 2 cuil. à soupe d'huile de sésame
- 100 à 175 g de chorizo, peau enlevée et coupé en morceaux
- 4 cuil. à soupe de jambon fumé coupé en petits dés
- 2 cuil. à soupe d'olives vertes farcies coupées en morceaux
- 3 gousses d'ail haché
- 1/2 oignon haché
- 1/4 de poivron vert épépiné et coupé en morceaux
- 1/4 de poivron rouge épépiné et coupé en morceaux
- 4 cuil. à soupe rases de graines de sésame
- 1 1/2 cuil. à soupe de chapelure
- 1 cuil. à café de sel
- 1 boîte de 100 g de purée de tomates
- 1 feuille de laurier
- 4 pommes de terre rincées et coupées en quatre
- Sel et poivre gris fraîchement moulu à volonté

Si votre morceau de bœuf a déjà une fente, agrandissez-la avec un couteau pour y insérer la farce. Sinon coupez une poche en long, au centre de la viande. Versez 275 g de mojito sur la viande, couvrez-la et laissez-la mariner une nuit au réfrigérateur en la retournant plusieurs fois.

Enlevez la viande de la marinade de mojito. Essuyez-la avec un essuie-tout puis faites-la dorer à feu moyen dans une cocotte où vous avez fait chauffer une cuillerée à soupe d'huile de sésame. Enlevez-la et posez-la sur une assiette pour la laisser refroidir.

Dans un bol, mélangez le chorizo, le jambon, les olives vertes, l'ail, l'oignon et les poivrons pour faire la farce. Lorsque la viande est assez froide pour pouvoir la toucher, badigeonnez-la avec 1 cuillerée à soupe d'huile de sésame et roulez-la dans un mélange de graines de sésame, de chapelure et de sel. Introduisez la farce dans le morceau de viande. Fermez l'ouverture avec une broche.

Pendant ce temps, allumez le four, thermostat 3 (160°). Mettez la viande dans la cocotte, couvrez et faites cuire pendant deux heures. Au bout d'une demi-heure, ajoutez la purée de tomates, le mojito et le laurier au fond de la cocotte. Couvrez et continuez à faire cuire jusqu'à ce que la viande soit tendre, en arrosant de temps en temps de sauce. (Si vous voulez servir la boliche avec les pommes de terre, ajoutez-les 40 minutes avant la fin de la cuisson).

Enlevez la viande, la feuille de laurier (et les pommes de terre si vous les avez ajoutées), assaisonnez de sel et de poivre la purée de tomates et le jus de viande au fond de la cocotte et versez dans une saucière. Arrosez la viande après l'avoir découpée.

A DROITE : Un bougainvillier rouge vif contre une palissade blanche.

Porc «isla Bonita» cuit au gril

Les épices des îles donnent beaucoup de goût à ce plat. Accompagnez les tranches de porc de salsa d'ananas (page 29). Servez une vichyssoise de manioc et de flageolets (page 72) comme entrée et du chou à la mayonnaise et au pamplemousse (page 68) pour donner à votre repas une petite touche exotique.

Pour 4 personnes

- *1/2 cuil. à soupe de gingembre en poudre*
- *1/2 cuil. à soupe de cannelle en poudre*
- *1/2 cuil. à soupe de noix de muscade râpée*
- *1/2 cuil. à café de moutarde en poudre*

- *4 filets de porc, de 100 à 175 g chacun, dégraissés*
- *Huile végétale pour le barbecue*
- *Tranches d'ananas (facultatif)*

Dans un petit bol, mélangez le gingembre, la cannelle, la noix de muscade et la moutarde et remuez bien. Essuyez la viande avec un essuie-tout. Frottez-la avec le mélange d'épices.

Mettez-la dans un plat creux, couvrez et laissez mariner au réfrigérateur pendant 30 minutes.

Huilez la grille du barbecue avant d'y poser la viande, sur un feu de braise moyen, à 12,5 cm de la chaleur. Couvrez et faites cuire 25 minutes à-peu-près jusqu'à une température de 70°, en tournant de temps en temps. Coupez des tranches d'une épaisseur de 1,5 cm. Garnissez avec des morceaux d'ananas, à votre goût.

ROPA VIEJA

En espagnol, cela signifie littéralement, «vieux vêtement». En effet, la viande de bœuf coupée en lamelles a un peu cette apparence, mais le sofrito (page 38) lui donne toute sa couleur et son cachet. Vous pouvez aussi en remplir des tortillas chaudes et donner à la ropa un style «nuevo-cubano». Servez avec un bol de sofrito pour ajoutez quelques épices et avec des croquettes de riz aux herbes (page 108), sans oublier les piments.

Pour 4 à 6 personnes

- 900g de bavette
- 1 gros oignon coupé en deux
- 1 gros oignon coupé en tranches fines
- 4 gousses d'ail haché menu
- 1 grosse branche de céleri hachée
- 1 cuil. à soupe de sel
- 4 cuil. à soupe d'huile d'olive
- 1 gros poivron vert epépiné et coupé en lamelles fines
- 3 grosses tomates coupées en petits dés
- 125 ml de vin blanc sec ou 2 cuil. à soupe de xérès
- 2 feuilles de laurier
- 2 cuil. à soupe de cumin en poudre
- 25 g de mange-tout cuits, à température ambiante (facultatif)
- Sel et poivre gris fraîchement moulu, à volonté
- 50 g de piments en boîte, égouttés et hachés, comme garniture (facultatif)

Mettez la viande dans une grande cocotte et recouvrez d'eau. Ajoutez l'oignon et l'ail coupés en deux, le céleri et le sel et portez à ébullition. Couvrez et continuez la cuisson à feu moyen jusqu'à ce que la viande soit tendre, environ 1 1/4 heure. Posez la viande sur un plat, laissez-la refroidir. Puis couvrez-la et mettez-la au réfrigérateur jusqu'à ce qu'elle soit bien froide.

Avec vos doigts, séparez la viande en petites lamelles. Si elle ne se défait pas facilement, enveloppez-la de papier sulfurisé et battez avec un pilon.

Dans une grande poêle, faites chauffer l'huile d'olive et faites dorer le reste de l'ail finement coupé environ 1 minute. Réduisez le feu et ajoutez l'oignon en tranches et le piment. Faites cuire environ dix minutes en remuant de temps en temps jusqu'à ce que les ingrédients deviennent moelleux. Ajoutez les tomates, le vin ou le xérès, le laurier, le cumin et une pincée de sel. Faites cuire à feu moyen pendant 25 minutes, en remuant de temps en temps. Enlevez les feuilles de laurier. Incorporez la viande, remuez et faites réchauffer la viande pendant 5 minutes. Ajoutez les mange-tout et retirez du feu. Assaisonnez de poivre et de sel. Garnissez à votre goût et servez immédiatement.

TRANCHES DE FILET DE PORC SUR UN LIT D'ÉPINARDS

Ce plat peut être agrémenté d'une cuillerée de salsa d'ananas (page 29), de salade d'ananas de noix de coco et de piment (page 31) de chutney aux tomates et au gingembre (page 42). Ajoutez des croquettes de bananes plantain et de pommes (page 114) et des pâtes aux haricots (page 116). Votre succès est assuré !

Pour 4 personnes

- 4 cuil. à soupe d'huile d'olive
- 1 gros clou de girofle
- 350 g d'épinards rincés et dont on a enlevé les côtes
- 4 cuil. à café de farine à gâteaux (levure incorporée)
- 3/4 de cuil. à café de sel
- 1/4 de cuil. à café de poivre gris fraîchement moulu
- 1/4 de cuil. à café de paprika
- 1/4 de cuil. à café de poivre de Cayenne
- 4 filets de porc de 100g chacun, dégraissés, d'un centimètre d'épaisseur

Faites chauffez l'huile dans une poêle, à feu moyen et ajoutez l'ail. Faites-le dorer en remuant pendant 1 minute. Enlevez-le de la poêle. Versez-y les épinards et faites-les cuire. Gardez au chaud sur un plat.

Mélangez la farine, le sel, le poivre, le paprika et le poivre de Cayenne dans un sac en plastique ou en papier. Essuyez le porc avec un essuie-tout. Mettez les tranches de filet dans le sac et remuez pour recouvrir la viande de farine.

Dans une poêle à feu vif, faites frire les tranches de filet dans 2 cuillerées à soupe d'huile en les retournant de temps en temps, pendant environ 4 ou 5 minutes. Lorsqu'ils sont tendres, disposez les filets sur le lit d'épinards et servez sans attendre.

PICADILLO

Dans les années cinquante, le picadillo version américaine s'appelait «Sloppy Joes». C'étaient des sortes de hamburgers garnis de sauce un peu trop liquide qui étaient très salissants à manger. Leur nom était très évocateur puisque «sloppy» signifie «détrempé». Plus tard, j'ai appris qu'on servait ces picadillos dans un bar de La Havane et de Key West nommé «Sloppy Joe's». Ernest Hemingway, qui a habité ces deux régions, aurait «exporté» ce nom. Cette version est très différente du Sloppy Joe de ma jeunesse et des bars d'Hemingway, pourtant je suis sûre qu'il aurait apprécié la liqueur qu'on lui ajoute maintenant.

Ce picadillo «moderne» est servi dans des oignons évidés. Commencez le repas par une soupe aux haricots noirs (page 78), puis servez le picadillo sur des croquettes de riz aux herbes (page 108) et terminez par un sorbet à la mangue (page 126).

Pour 4 personnes

- 4 gros oignons épluchés
- 2 cuil. à soupe d'huile d'olive
- 2 grosses gousses d'ail haché
- 575 g de bœuf bien maigre
- 125 ml de Grand Marnier
- 75 g de raisins secs
- 50 g d'olives farcies aux piments, coupées en tranches fines
- 2 cuil. à soupe de câpres, égouttées
- 5 cuil. à soupe rases de concentré de tomates
- 1/2 cuil. à café de cumin en poudre
- 1/4 de cuil. à café d'origan séché
- Sel et poivre fraîchement moulu, à volonté

Avec un petit couteau, coupez les oignons à 1 cm de leur extrémité. Evidez-les avec une petite cuillère et hachez la pulpe finement.

Allumez le four, thermostat 4 (180°). Dans une grande poêle, faites revenir la pulpe de l'oignon dans 2 cuillerées à café d'huile pendant une dizaine de minutes. Ajoutez l'ail, et continuez à faire revenir pendant 30 secondes. Faites dorer la viande hachée environ 5 minutes. Réduisez le feu, ajoutez le Grand Marnier et flambez la préparation. Lorsque les flammes disparaissent, ajoutez les autres ingrédients ainsi que 3/4 de cuillerée à café de sel et 1/4 de cuillerée à café de poivre. Continuez la cuisson à feu doux en remuant de temps en temps pour bien mélanger les goûts, environ 10 minutes.

Badigeonnez les parois intérieures et extérieures des oignons avec le restant d'huile. Remplissez-les de farce. Disposez-les dans un plat. Faites cuire au four environ 40 minutes jusqu'à ce que les oignons soient tendres et prennent une couleur dorée. Servez immédiatement.

A DROITE : Maison en bois typique de Key West en Floride

PENNE AUX POIVRONS ET AU CHORIZO

Ce mélange de pâtes et de chorizo fait le régal des Cubains. On le sert comme plat unique ou avec des chayottes et des carottes sautées (page 114) ou des chayottes et du maïs sautés (page 110). Terminez le repas par une coupe de fruits de la Passion (page 70).

Pour 4 personnes

- 2 aubergines coupées en deux dans le sens de la longueur, puis en grosses tranches de 5 cm d'épaisseur
- 7 cuil. à soupe d'huile d'olive
- Sel et poivre gris fraîchement moulu à volonté
- 450 g de chorizo ou de saucisses fumées, la peau enlevée et coupé en tranches épaisses de 5 cm
- 1 bocal de 100 g de poivrons rouges grillés,

- égouttés et coupés en gros morceaux, ou 1 poivron rouge grillé, pelé, épépiné et coupé en gros morceaux
- 1 gousse d'ail haché
- 1 tomate pelée, épépinée et coupée en petits dés
- 7 cuil. à soupe de coriandre fraîche hachée
- 1 cuil. à café de vinaigre balsamique
- 2 cuil. à soupe de jus de citron vert
- 350 g de penne

Allumez le four thermostat 4 (180°). Badigeonnez les tranches d'aubergines avec 3 cuillerées à soupe d'huile, salez et poivrez. Disposez les aubergines et le chorizo dans un plat allant au four et couvrez avec un papier aluminium. Faites cuire au four environ 20 minutes jusqu'à ce que les aubergines soient tendres.

Enlevez les tranches d'aubergines, coupez-les en petits dés et mettez de côté.

Mélangez la saucisse, les aubergines et les poivrons rouges, l'ail, la tomate, la coriandre, le vinaigre et le jus de citron vert. Assaisonnez avec 1/2 cuillerée à café de sel et 1/4 de cuillerée à café de poivre ou à volonté, et mettez de côté.

Faites bouillir 5 1/2 litres d'eau. Ajoutez 1 cuillerée à soupe de sel et les penne. Faites cuire al dente, environ 10 minutes. Egouttez et versez dans un grand saladier. Arrosez avec le reste d'huile et ajoutez la préparation. Remuez pour bien mélanger les ingrédients et servez sans attendre.

**Plats
d'accompagnement**

Maïs Cubano

La beauté de ce plat va de pair avec sa facilité d'exécution. Servez-le après n'importe quel hors-d'œuvre ou avec ceux de ce livre.

Pour 4 personnes

- 225 g de chorizo sans la peau, coupé en tranches fines ou du bacon cuit et émietté
- 1 gros oignon, haché
- 2 boîtes de 425 g de grains de maïs égouttés, en conservant 1 cuil. à soupe de jus.
- 1 boîte de 225 g de sauce tomate
- Poivre gris fraîchement moulu

Dans une grande poêle, faites frire le chorizo et l'oignon ensemble jusqu'à ce que les oignons soient moelleux. Laissez refroidir, puis ajoutez 1 cuillerée à soupe de jus de maïs et la sauce tomate. Faites cuire lentement environ 1 heure, en remuant fréquemment. Assaisonnez de poivre à volonté. Ajoutez le maïs et faites cuire 1 minute. Avant de servir, arrangez les tranches de chorizo sur les tomates et le maïs.

CROQUETTES DE RIZ AUX HERBES

Cette nouvelle variation de croquettes de riz a été lancée par le Yuca, un restaurant nuevo-cubano de Miami. Garnissez-les d'une cuillerée de crème fraîche saupoudrée de ciboulette. Servez-les avec de la soupe aux haricots noirs (page 78), avec la ropa vieja (page 102) et pour remplacer les pommes de terre, avec la plupart des hors-d'œuvre.

Mélangez le riz, l'œuf, l'oignon, 4 cuillerées à café de persil, la tomate, la ciboulette et le thym. Formez de 6 à 12 petites croquettes.

Faites frire ces croquettes dans une poêle à fond épais. Retournez-les une fois pour les dorer de chaque côté. Posez sur un essuie-tout, garnissez à votre goût et servez sans attendre.

Pour 4 à 6 personnes

- 350 g de riz cuit
- 1 œuf, légèrement battu
- 1 petit oignon haché
- 2 cuil. à soupe de persil frais, finement haché
- 1 tomate concassée
- 1 bouquet de ciboulette, finement hachée
- 1 bouquet de thym, finement haché
- 1 ou 2 cuil. à soupe d'huile d'olive pour friture
- 4 cuil. à soupe de crème fraîche comme garniture (facultatif)

SALADE CHAUDE «MÉLI-MÉLO»

Salade chaude de patates douces, de carottes, d'ananas, d'oranges. Ce plat offre une grande variété de goûts, de textures et de couleurs. Garnissez-le des tranches d'oranges, de noix de pécan et de noix de coco grillée.

Pour 4 personnes

- 350 g de carottes coupées en tranches de 1 cm d'epaisseur
- 350 g de patates douces épluchées et coupées en cubes
- 1 boite de 450 g d'ananas en morceaux non sucrés, egouttés
- 4 petites cuil. à soupe d'eau
- 2 cuil. à soupe de sucre brun
- 1 cuil. à soupe de Maïzena dissoute dans 1 cuil. à soupe d'eau froide
- 2 cuil. à café de sauce de soja

- 1 cuil. à café de vinaigre
- 1/2 cuil. à café de zeste d'orange râpé
- 1/8 de cuil. à café de sel
- 1/4 de tasse de raisins secs
- 2 oranges navel sans pépin, épluchées et coupées en fines tranches (facultatif)
- 50 g de moitiés de noix de pécan comme garniture (facultatif)
- 2 cuil. à café de noix de coco desséchée comme garniture (facultatif)

Faites bouillir de l'eau dans un cuit-vapeur et passez les carottes à la vapeur pendant 2 minutes. Ajoutez les patates douces, couvrez et faites cuire pendant 8 ou 10 minutes, jusqu'à ce que les légumes soient tendres mais pas en purée. Mettez de côté.

Egouttez les ananas, gardez 125 ml de jus. Dans une casserole, mélangez ce jus avec l'eau, le sucre, la Maïzena, la sauce de soja, le vinaigre, le zeste et le sel. Portez à ébullition en remuant. Ajoutez l'ananas et les raisins secs et laissez cuire 1 minute. Incorporez les légumes au mélange d'ananas en remuant doucement. Vous pouvez servir ce plat maintenant ou suivre l'étape suivante.

Allumez le four, thermostat 4 (180°). Garnissez les côtés d'un plat à four avec les tranches d'oranges. Versez le contenu du saladier et parsemez de noix de pécan et de noix de coco. Mettez au four pendant 10 minutes ou jusqu'à ce que la noix de coco deviennent légèrement dorée.

CHAYOTTES ET MAÏS SAUTÉS

Cette recette permet aux chayottes d'ajouter une saveur au maïs tout en lui laissant son goût. Les poivrons verts, au contraire, ont tendance à le dominer.

Pour 4 personnes

- 2 chayottes épluchées et coupées en cubes de 2,5 cm
- Grains de maïs de 3 épis ou 225 g de maïs surgelés, décongelés
- 1/2 cuil. à soupe de bûche de beurre (page 45-51) ou de margarine
- Sel et poivre gris fraîchement moulu à volonté

Faites bouillir de l'eau et plongez-y les chayottes. Lorsque l'eau se remet à bouillir, enlevez les chayottes et passez-les à l'eau fraîche. Dans une grande poêle, faites-les sauter dans 1/2 cuillerée à café de bûche de beurre ou de margarine jusqu'à ce qu'elles deviennent tendres, environ 4 minutes. Ajoutez le maïs et continuez à faire sauter pendant 3 ou 4 minutes. Assaisonnez de sel et de poivre.

CI-DESSOUS : Les couleurs vives des fruits sont presque éclipsées par la couleur des stands du marché.

A DROITE
PÂTES AUX CITRON VERT ET AU POIVRE

FRITES DE MANIOC

Servez ces frites avec de l'aïoli (page 32), du chutney au gingembre et aux tomates (page 42) ou avec de la sauce au citron vert et au poivre (page 33).

Pour 4 personnes

- 8 gousses d'ail
- 2 feuilles de laurier
- 2 1/2 cuil. à soupe de sel
- 3 litres d'eau
- 575-675 g de manioc ou de
- pommes de terre épluchés et coupés en deux dans le sens de la longueur.
- Huile végétale pour la friture

Dans une casserole, mélangez l'ail, les feuilles de laurier, 2 cuillerées à soupe de sel et d'eau et portez à ébullition. Plongez-y le manioc ou les pommes de terre et faites-le mijoter jusqu'à ce qu'il soit tendre mais pas en purée ni collant, pendant 30 ou 40 minutes.

Sortez le manioc ou les pommes de terre, égouttez-le, laissez-le refroidir, essuyez-le avec un essuie-tout et coupez-le en frites. Dans une grande poêle à frire, faites chauffer 1 cm d'huile à 190°. Assaisonnez le manioc de sel et faites dorer. Egouttez sur un essuie-tout et servez bien chaud.

PÂTES AU CITRON VERT ET AU POIVRE

C'est un plat très simple mais très apprécié. Pour en faire un plat unique, on peut y ajouter des petits restes de porc ou de poulet et des légumes.

Pour 4 à 6 personnes

- Un paquet de pâtes aux œufs de 350 g
- 2 cuil. à soupe de bûche de beurre aux agrumes de l'île (page 50) fondu
- Sel et poivre gris
- fraîchement moulu à volonté
- 1 citron vert coupé en tranches comme garniture.

Faites cuire les pâtes al dente dans de l'eau salée. Mélangez le beurre aux agrumes et assaisonnez de poivre et de sel. Garnissez avec les tranches du citron vert et servez aussitôt.

110

TOSTONES AU BRIE

Les tostones au Brie sont des tranches de bananes plantain cuites à deux reprises dans la poêle. Vous pouvez aussi les servir plus simplement sans le Brie et accompagnées de mayonnaise à l'orange et au gingembre (page 32), et recouvertes de mojito (page 40).

Pour 4 personnes

- 3 bananes plantain vertes (pas mûres), épluchées et coupées en grosses rondelles de 1,5 cm d'épaisseur
- 4 cuil. à soupe d'huile
- d'olive
- 2 cuil. à café de poudre d'ail
- 100 g de Brie bien crémeux, sans la croûte

Dans une grande poêle, faites frire 10 tranches de bananes plantain, pendant environ 2 minutes dans de l'huile chauffée à 180°. Egouttez-les sur un essuie-tout et laissez refroidir. Faites frire le reste des tranches à l'huile bien chaude.

Aplatissez les tranches entre deux planchettes de bois en appuyant bien ou si vous préférez, utilisez un moule à gaufres.

Réchauffez l'huile à 190°, parsemez de poudre d'ail et faites dorer les tostones de chaque côté. Egouttez-les sur un essuie-tout. Etalez 1 ou 2 cuillerées à café de Brie sur chaque tranche de banane plantain. Disposez-les sur un plat au four et passez-les au gril quelques secondes pour réchauffer le Brie et servez sans attendre.

CHIPS TROPICALES CUITES AU FOUR

Voici une recette de chips allégée. On peut grignoter ces chips de boniatos avec du mojito (page 40) ou de la mayonnaise aromatisée, des salsas ou des chutneys.

Allumez le four à 220°. Dans un grand bol, faites mousser les blancs avec une fourchette. Ajoutez le piment ou les quatre-épices, puis les boniatos et retournez-les pour bien les recouvrir. Disposez les tranches en une seule couche sur une plaque à four légèrement huilée. Faites-les dorer au four de 30 à 35 minutes. Assaisonnez de sel et de poivre.

Pour 4 personnes

- 2 blancs d'œuf
- 1 1/2 cuil. à soupe de poudre de piment (si l'on aime les plats épicés) ou de quatre-épices
- 4 boniatos épluchés et coupés en tranches fines
- Huile végétale
- Sel et poivre gris fraîchement moulu à volonté

CHAYOTES ET CAROTTES AU BEURRE AROMATISÉ

Le mot «chayote» est d'origine aztèque, mais cette calebasse, appréciée un peu partout dans le monde depuis des siècles, porte des noms différents. En France, on l'appelle aussi «christophine». Les meilleures chayottes viennent de Costa Rica. Leur goût est un mélange de pomme, de concombre, de courgette et de chou-navet. On les mange cuites mais elles doivent croquer sous la dent. Ajoutez-leur un morceau de beurre doux, ou aux herbes selon votre goût, ou selon le choix de votre plat principal.

Pour 4 personnes

- 125 ml d'eau
- 1 cuil. à café de sucre
- 1/2 bouillon cube
- 3 chayottes épluchées, dénoyautées et coupees en morceaux de 2,5 cm
- 3 carottes, épluchées et coupées en grosses tranches de 1 cm d'épaisseur
- 2 cuil. à soupe de bûche de beurre aromatisé (pages 44-51), de beurre ou de margarine
- Sel et poivre gris fraichement moulu à volonté
- 1 cuil. à soupe de persil haché comme garniture (facultatif)

Dans une grande casserole, mélangez l'eau, le sucre et le bouillon cube. Plongez-y les carottes, portez à ébullition et continuez à cuire à feu doux jusqu'à ce qu'elles soient tendres, environ 25 minutes. Quelques minutes avant la fin de la cuisson des carottes, ajoutez les chayottes et continuez à laisser mijoter jusqu'à ce que les deux légumes soient cuits.

Dans une grande poêle, faites fondre 2 cuillerées à soupe de bûche de beurre aromatisé de votre choix, de beurre naturel ou de margarine. Ajoutez les légumes égouttés. Versez le beurre et assaisonnez de sel et de poivre à volonté. Garnissez si vous le désirez et servez.

CROQUETTES DE BANANES PLANTAIN ET DE POMMES

Les pommes ne font pas partie de la cuisine traditionnelle cubaine car elles ne se cultivent pas sous les tropiques. Elles sont considérées comme des fruits exotiques et sont assez rares. Le mélange de pommes et de bananes plantain peut aussi s'accompagner de tranches de bacon émietté et sert de plat d'accompagnement à la viande de porc ou au jambon.

Pour 4 personnes

- 2 bananes plantain noires, bien mûres, rapées
- 2 pommes acides, épluchées, évidées et râpées
- 1 oignon moyen haché
- 2 cuil. à café de cannelle
- 2 grosses gousses d'ail haché
- 1 blanc d'œuf
- Sel et poivre gris fraichement moulu à volonté
- 1 cuil. à soupe de beurre ou de margarine
- 1 cuil. à soupe d'huile
- 1 tranche de bacon frit, égoutté et émietté comme garniture (facultatif)

Mélangez bien les pommes et les bananes râpées. Ajoutez l'oignon, la cannelle, l'ail, le blanc d'œuf, le sel et le poivre. Dans une poêle, faites chauffer le beurre et l'huile. Versez de grosses cuillerées de mélange dans la poêle et faites dorer les deux côtés. Posez sur un essuie-tout avant de servir.

A DROITE
CROQUETTES DE BANANES PLANTAIN

TORTELLINIS AUX HARICOTS À LA CUBAINE

C'est un plat très coloré auquel vous pouvez ajouter
des restes de viande de porc, de jambon ou de saucisses
coupés en petits morceaux. Comme plat d'accompagnement, servez-le avec un hors-d'œuvre de poisson
ou avec la sole croustillante cuite au four (page 88).

Pour 4 personnes

- 450 g de tortellinis tricolores
- 3 cuil. à soupe d'huile d'olive
- 1/2 cuil. à soupe de poudre de piment
- 2 cuil. à soupe d'ail finement haché
- 3 cuil. à soupe de tomates séchées au soleil et conservées dans l'huile, égouttées et finement hachées
- 3 cuil. à soupe d'oignons printaniers finement hachés
- 2 cuil. à soupe de gingem-bre frais finement haché
- Le zeste râpé d'une orange
- 2 cuil. à soupe de haricots noir cuits et coupés grossièrement
- 2 cuil. à café de sucre
- 3 cuil. à soupe de purée de tomates
- 175 g de tomates en boîte, concassées
- 125 ml de bouillon de poulet
- Sel et poivre gris fraîchement moulu
- Quelques oignons printaniers en plus comme garniture (facultatif)

Faites bouillir de l'eau salée et jetez-y les pâtes.
Faites-les cuire al dente. Egouttez et mettez de côté.

Dans une grande poêle, faites chauffer l'huile d'olive
et ajoutez le piment en poudre, l'ail, les tomates, les
oignons printaniers, le gingembre, le zeste d'orange
et les haricots. Faites revenir ce mélange une minute
et ajoutez les pâtes cuites en continuant à remuer
une minute de plus. Incorporez le sucre, la purée de
tomates, les tomates concassées, le bouillon de
poulet, le sel et le poivre et faites à nouveau revenir
pendant 2 minutes, jusqu'à ce que les pâtes soient
bien assaisonnées. Servez sans attendre.

Riz au curry et aux amandes

Les Cubains apprécient les petits-pois, surtout les petits-pois fins qu'ils appellent de leur nom français. Le riz cuit à l'eau est un aliment très utilisé dans la cuisine traditionnelle. A Miami, on aime lui ajouter des saveurs épicées. Voici un plat typique de la Nouvelle Cuisine cubaine.

Pour 4 personnes

- 1 cuil. à soupe de bûche de beurre au curry (page 44), de beurre ou de margarine ramolli
- 750 ml d'eau
- 275 g de riz
- 100 g de petits-pois surgelés, cuits (facultatif)
- 2 cuil. à soupe d'amandes effilées, grillées

Dans une poêle de 4 cm de hauteur, faites fondre le beurre au curry, le beurre ou la margarine. Ajoutez l'eau et couvrez. Jetez le riz dans l'eau bouillante et faites cuire à feu doux environ 12 minutes, jusqu'à ce que le riz soit cuit. Ajoutez les petits-pois quelques minutes avant la fin de la cuisson pour les réchauffer. Décorez avec des amandes et servez.

RIZ AU JASMIN ET AU GINGEMBRE

Utilisez un riz très fin, pour préparer ce plat et le résultat sera une texture crémeuse comme pour le risotto. Ajoutez-y des petits morceaux de viande, de poisson ou des fruits de mer pour en faire un plat complet.

Pour 4 personnes

- 275 g de riz au jasmin ou de riz basmati
- 1/4 de cuil. à café de cumin en poudre
- 1 cuil. à café de bûche de beurre à l'ananas (page 46), de beurre ou de margarine
- 250 ml d'eau
- 1 cuil. à café de gingembre frais râpé

Rincez le riz à l'eau froide plusieurs fois jusqu'à ce que l'eau soit claire puis égouttez-le. Dans une casserole de taille moyenne, faites fondre le beurre avec le cumin à feu vif pendant 30 secondes. Ajoutez le riz, l'eau et le gingembre. Portez à ébullition, couvrez et faites cuire à feu doux pendant 12 minutes sans lever le couvercle.

Laissez reposer, en gardant couvert de 5 à 20 minutes. Avant de servir, faites gonfler le riz avec une fourchette.

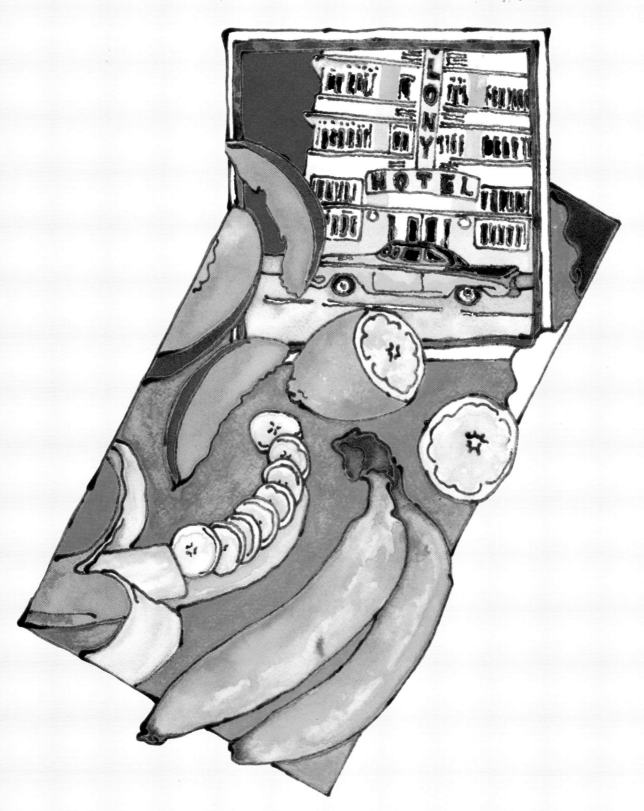

Desserts

CHIQUITAS AU RHUM

Ce dessert est très simple à préparer.

Pour 4 personnes

- 2 ou 4 bananes coupées en tranches
- 4 cuil. à soupe de rhum
- 2 cuil. à soupe de sucre
- 2 cuil. à café de cannelle
- 1/4 de cuil. à café de noix de muscade râpée
- 1 orange coupée en tranches, comme garniture
- Feuilles de bananier, coupées en grandes lamelles pour servir

Mettez les tranches de bananes dans un bol. Versez le rhum et saupoudrez de sucre et d'épices. Laissez mariner pendant 1 heure.

Disposez les feuilles de bananier au fond d'un saladier en verre juste avant de servir pour ajouter de la couleur, puis couvrez de tranches de bananes et garnissez de tranches d'orange.

CI-DESSOUS: Un marchand de fruits ambulant en train de servir un client.

Crème brûlée catalane

Les crèmes brûlées ont remplacé les crèmes caramel espagnoles sur la liste des desserts des restaurants nuevo-cubano de Mark's Place, à Miami. Malgré la profusion de citrons verts en provenance des Keys, les chefs préfèrent utiliser les citrons car ils sont moins acides.

Pour 6 personnes

- 175 g de sucre
- 7 jaunes d'œuf
- 750 ml de crème épaisse
- Peau d'1 orange, coupée en fines tranches
- Peau d'1 citron, coupée en fines tranches
- 1 bâton de cannelle
- 3/4 cuil. à café d'extrait d'amandes ou d'amandes amères
- 6 cuil. à soupe de sucre roux

Battez ensemble le sucre et les jaunes d'œufs et mettez de côté.

Dans une casserole à fond épais, versez la crème, les peaux d'orange et de citron, la cannelle et l'extrait d'amandes et portez à ébullition. Enlevez les peaux d'agrumes et la cannelle. Versez le mélange dans les jaunes d'œuf en remuant constamment.

Allumez le four, thermostat 4 (180°). Versez la préparation dans 6 ramequins. Placez les ramequins dans un plat rempli à moitié d'eau. Faites cuire au four pendant 30 minutes, ou jusqu'à ce que la crème soit prise. Laissez refroidir au réfrigérateur.

Juste avant de servir, saupoudrez chaque ramequin d'une cuillerée à soupe de sucre roux. Placez les ramequins sous le gril pendant quelques secondes jusqu'à ce que le sucre soit brun roux. Laissez reposer 10 à 15 minutes et servez.

Tarte au chocolat blanc et à la noix de coco

On peut aussi utiliser du chocolat noir pour la préparation de cette tarte, mais à Miami, les gens préfèrent le chocolat blanc qui évoque la lumière du soleil et l'écume des vagues. La noix de coco contribue à donner à cette tarte un aspect mœlleux et appétissant.

Pour 8 personnes

- 1 pâte sablée
- 2 cuil. à café de maïzena
- 2 cuil. à soupe de sucre
- 4 jaunes d'œuf
- 2 cuil. à soupe de rhum brun
- 6 cuil. à soupe d'eau
- 50 g de beurre ramolli
- 225 g de chocolat blanc, coupé en morceaux
- 7 cuil. à soupe rase de

- noix de coco desséchée non sucrée
- 175 ml de crème fraîche épaisse, fouettée
- 3 cuil. à soupe rases de noix de coco non sucrée, desséchée et grillée, comme garniture
- Des copeaux de chocolat blanc comme garniture (facultatif)

Allumez le four, thermostat 6 (200°). Etalez la pâte sablée sur un moule à tarte de 22,5 cm de diamètre et de 2,5 cm de hauteur, muni d'un fond amovible. Pressez bien la pâte contre les bords et égalisez. Piquez le fond avec une fourchette. Couvrez la pâte d'une feuille d'aluminium et remplissez de haricots secs ou de riz. Faites cuire en bas du four pendant 15 minutes. Enlevez la feuille d'aluminium et les haricots. Remettez au four pour dorer la pâte et en terminer la cuisson (environ 12 minutes). Enlevez du four et placez sur une grille pour la faire refroidir.

Faites cuire doucement au bain-marie la Maïzena, le sucre, les jaunes d'œuf battus en crème, le rhum et 4 cuillerées à soupe d'eau. Battez le mélange constamment et vigoureusement jusqu'à ce qu'il soit très épais et crémeux (environ 15 ou 20 minutes). Ne portez pas à ébullition. Enlevez du feu et incorporez le beurre en continuant à remuer. Versez dans un saladier de taille moyenne. Laissez refroidir, puis couvrez et réfrigérez.

Faites fondre doucement au bain-marie le chocolat dans 2 cuillerées à soupe d'eau, en remuant de temps en temps, jusqu'à ce que le mélange soit crémeux. Laissez refroidir après avoir ajouté le rhum en remuant. Couvrez et placez au réfrigérateur pendant 45 minutes.

Incorporez la noix de coco et la crème fouettée à la crème au rhum et versez sur la pâte sablée. Placez au réfrigérateur au moins 2 heures avant de servir.

TARTE AU CITRON VERT

Un dessert toujours apprécié.

Pour 4 personnes

- 4 jaunes d'œuf
- Une boîte de 350 g de lait concentré sucré
- 125 ml de jus de citron vert
- Pâte sablée précuite de 22,5 cm de diamètre
- Crème fouettée pour servir

Fouettez les jaunes d'œuf et ajoutez le lait condensé puis le jus de citron vert en remuant soigneusement, sans trop le battre. Versez le mélange sur la pâte. Placez au réfrigérateur si possible pendant 24 heures. Garnissez avec de la crème fouettée si vous le désirez.

CHURROS

Vous trouverez ces petits beignets à l'anis chez tous les marchands ambulants de Miami. Essayez cette version simplifiée pour le petit-déjeuner du dimanche matin ou comme en-cas.

Pour 4 personnes

- 3 cuil. à soupe de sucre
- 1 cuil. à café de graines d'anis ou de cannelle
- Huile végétale pour la friture
- 275 g de pâte à beignets

Mettez le sucre et les graines d'anis ou la cannelle dans un sac en papier ou en plastique, fermez-le et mélangez bien le contenu.

Dans un poêlon, une friteuse ou une grande casserole, faites chauffer 4 cm d'huile végétale à 200°. Une goutte de pâte plongée dans l'huile vous indique la température adéquate lorsqu'elle se met à grésiller au contact de l'huile.

Plongez les beignets dans l'huile en les séparant bien. Retournez-les. Faites frire jusqu'à ce qu'ils dorent des deux côtés. Egouttez-les sur un essuie-tout, enfermez-les dans le sac de sucre et d'anis, secouez et servez sans attendre.

CRÈME RENVERSÉE AU CAFÉ CON LECHE

C'est la spécialité du Palm Grill de Key West. Elle associe le bon goût du café con leche (un expresso dans lequel on a ajouté du lait très chaud et du sucre) et le goût de la crème renversée.

Pour 4 personnes

- 4 cuil. à soupe de Maïzena
- 750 ml de lait
- 250 ml de crème épaisse
- 2 1/2 cuil. à soupe de café soluble
- 225 g de sucre
- 2 œufs
- Crème fouettée et grains de café en sucre enrobés de chocolat, comme garniture

Versez la Maïzena dans 250 ml de lait en remuant jusqu'à ce que le mélange soit onctueux. Faites chauffez au bain-marie tous les autres ingrédients, sauf les œufs et les garnitures, et ajoutez le mélange initial. Faites épaissir à feu moyen. Couvrez et laissez cuire à feu moyen pendant 10 minutes.

Battez les œufs. Versez progressivement 250 ml de préparation au café sur les œufs en continuant à battre. Incorporez au reste du mélange en battant au fouet, tout en continuant à faire chauffer au bain-marie. Couvrez et laissez frémir pendant 2 minutes.

Enlevez du feu et versez dans des tasses à café.

Couvrez avec un scellofrais et laissez refroidir puis placez dans le réfrigérateur. Sortez la crème lorsqu'elle est bien froide et ajoutez une cuillerée de crème fouettée et un grain de café enrobé de chocolat.

À DROITE
CRÈME RENVERSÉE AU CAFÉ CON LECHE

SORBETS VOLUPTUEUX

Le mot sorbet vient de l'arabe «charab» qui signifie «boisson rafraîchissante». Les anciens seraient très surpris des variations américaines de ces sorbets qui peuvent être parfumés au piment, aux figues de Barbarie ou aux kakis. Dans les restaurants de Miami, les parfums sont moins étranges mais tout aussi exotiques.

Pour 4 personnes

- 2 mamey sapotes, mangues ou cantaloups, epluchés, épépinés ou dénoyautés et coupés en gros morceaux
- 1 paquet de gélatine
- 125 ml d'eau
- 6 cuil. à soupe de mélasse
- 125 ml de jus de citron
- 1/4 cuil. à soupe de sel
- Quelques feuilles de menthe comme garniture

Passez les morceaux de melon au mixeur, à vitesse moyenne. Versez ce mélange onctueux dans un moule en métal de 22,5 cm de côté.

Dans une casserole, saupoudrez la gélatine sur l'eau et laissez reposer 1 minute. Faites chauffer à feu doux et continuez à remuer jusqu'à ce que la gélatine soit complètement dissoute. Incorporez la mélasse, le jus de citron et la gélatine à la purée de melon. Couvrez le plat hermétiquement avec une feuille d'aluminium épais. Placez au congélateur pendant 3 heures jusqu'à ce que la crème soit en partie glacée. Remuez de temps en temps pour empêcher les cristaux de se former.

Passez cette crème au mixeur jusqu'à ce que vous obteniez un mélange mousseux, mais ne laissez pas fondre. (Vous pouvez aussi mettre la crème dans un bol et la fouetter au batteur éléctrique, à vitesse moyenne). Versez le mélange dans un plat, couvrez avec la feuille d'aluminium et remettez au congélateur pendant 2 heures pour le raffermir.

Enlevez du congélateur 15 minutes avant de servir pour que le sorbet soit légèrement ramolli. Servir avec une cuillère à glace dans des petits bols. Garnissez de feuilles de menthe.

GUAVA FOOL

Ce dessert composé de fruits, de sucre et de crème fouettée est une petite douceur typique de la cuisine nuevo-cubaine. Son nom est la traduction de «loca», qui signifie à la fois une insulte et un petit mot doux que l'on peut traduire par «mon petit fou».

Pour 4 personnes

- 4 goyaves mûres coupées en morceaux de 2 1/2 cm
- 8 à 12 cuil. à café de sucre glace
- 125 ml de crème fraîche épaisse

Mettez les goyaves et le sucre dans un mixeur pour obtenir une purée. Goûtez, ajoutez du sucre si vous le désirez et continuez à mélanger.

Versez ce mélange dans une passoire, couvrez et mettez au frais. Avant de servir, fouettez la crème fraîche et versez-la dans la purée délicatement avec une cuillère pour dessiner des volutes blanches dans la crème orangée.

A DROITE
GUAVA FOOL

INDEX